ESPOIR

LA VOIE DE LA RÉALISATION

LES ÉDITIONS ATLANTES

COLLECTION
SPIRITUALITÉ

Aurore Roegiers

ESPOIR
LA VOIE DE LA RÉALISATION

Par la Source
Texte canalisé par Aurore Roegiers

Collection dirigée par
Christel Seval

Illustration de couverture
Aurore Roegiers

Couverture
Sophie DaCruz

**Visitez et commandez
sur notre site internet**
www.editions-atlantes.fr

Ecrivez-nous
interkeltia@hotmail.fr
contact@editions-atlantes.fr

© 2020 Christel Seval, Interkeltia-Atlantes, version 18/08/2020.
© Illustration de couverture Aurore Roegiers.
© Maquette de couverture Sophie Da Cruz
Edité par les éditions Atlantes, 7 rue Pasteur, 78350 Jouy en Josas, France. Tel 06 81 39 50 54. Tous droits réservés pour tous pays franco-phones. ISBN 978-2-36277-090-6

ESPOIR
SOMMAIRE

Introduction

DANS CETTE PREMIÈRE PARTIE, JE VOUS PARTAGE UN DIALOGUE AVEC LES GUIDES QUI ÉCRIVENT CE TEXTE À TRAVERS MOI.

J'ai voulu leur poser quelques questions, dont voici les réponses.

Introduction

JE DEMANDE AUX ANGES DE PASSER À TRAVERS MOI POUR S'EXPRIMER : QUE SOUHAITEZ-VOUS QUE LE LECTEUR REÇOIVE ? -

De l'amour. La foi. Du courage.
Une raison d'être.

Une force d'action et de joie. Nous voulons que le lecteur se réveille dans l'humour, dans l'humeur de la joie et du plaisir.

La vie est une partie de plaisir. Il est temps que le plaisir enfantin revienne en chacun de vous. Vous êtes aimés au-delà de vos espérances. Vous êtes aimés quoi que vous fassiez.

Sachez qu'il n'y a rien de bien ou de mal dans vos actions, dans vos vies, dans vos résistances, dans vos peines, dans vos colères, dans vos souffrances, dans vos actes, dans vos actions, dans vos réflexions, dans vos émotions...

Chaque instant est parfait. Un moment parfait d'évolution.
Nous voulons vous dire aussi, que si vous lisez ces lignes c'est que vous avez du courage.

Du courage pour prendre votre vie en main. Pour prendre en main votre vie et vos choix. Vous êtes là pour une raison. Peu importe où vous en êtes de votre chemin, vous êtes choyés et aimés.

Si vous avez encore des peurs
et des craintes c'est ok.

Sachez seulement, et si vous lisez ces lignes vous le savez déjà, que plus vous alimentez vos peurs, plus vous créerez une réalité en résonance et en vibration avec vos peurs. Vos peurs n'existent que dans votre tête et en les alimentant par vos pensées, elles deviennent réalité.

Votre travail, est de maîtriser ce flot de pensées.
De le laisser couler.

Vous avez de nombreux moyens et méthodes aujourd'hui à votre disposition pour y arriver. Elles sont toutes bonnes. Écoutez votre cœur et laissez-les vous guider selon vos envies, selon les moments.

Ne vous acharnez pas à une seule approche en vous disant, celle-ci a fonctionné pour moi un temps, je dois m'y accrocher. Si vous êtes en résistance ou en lutte avec votre pratique, il y a une raison. Il y a un temps pour tout. C'est qu'autre chose vous appelle.

Soyez ouverts à ce qui vient à vous. Soyez ouverts et réceptifs aux messages que nous vous envoyons. La provenance peut venir de partout.

Nous pourrions vous en citer quelques-unes mais nous préférons que vous les trouviez vous-mêmes. C'est à vous d'ouvrir le canal de communication avec nous. Tel un papillon dans sa chrysalide, c'est en musclant ses ailes qu'il peut voler. Nous ne pouvons faire le travail à votre place. Le chemin est simple, suivez vos envies et posez l'intention.

Faites appel à nous autant que vous le désirez.

Certains d'entre vous sont encore frileux, n'osent pas ou ne croient pas que nous pouvons être en connexion avec vous à chaque instant. C'est le cas. Et nous sommes heureux de le faire, nous sommes là pour cela.

Appelez-nous autant de fois que vous le désirez. Et pas seulement lors de moments de stress ou de détresse. Quand vous le souhaitez. En permanence en réalité. Car vous êtes connectés à la source et à nous en permanence.

Autorisez-vous à l'être en conscience de plus en plus.

Nous aimerions aussi vous dire
que le temps est à l'action.

Nous ne le répéterons jamais assez et nous insistons sur ce point. Il est temps d'agir, d'oser, d'affirmer, de créer sa différence. Vous allez être confrontés à des changements. Plus vous allez vous éveiller et affirmer, c'est à dire incarner réellement cet éveil, plus votre entourage va évoluer avec conscience. C'est une chance et une réalité de la vie ici-bas.

Incarner votre éveil veut dire qu'il ne suffit pas de « comprendre », de lire un concept avec la tête.

Lorsque vous incarnez un éveil de conscience, votre corps change, votre ADN évolue, vos comportements se transforment, vos pensées se transcendent, vos émotions se révèlent et vous devenez au-delà de ce que vous ne pouviez croire. Vous devenez ce que vous appelez « la meilleure version de vous-même ». C'est un travail, un cheminement de longue haleine, journalier, progressif pour certains, et une percée pour d'autres, selon les moments.

Rappelez-vous que tout est parfait et que vous êtes aimés, même si vous faites des allers et retours dans cette traversée exceptionnelle de changement vibratoire.

Vous êtes des héros. Des héros de venir sur Terre. Des héros de vivre cela. Vous êtes braves et courageux, même dans vos peurs, surtout dans vos peurs.

Vos peurs sont
vos plus grandes forces.

Ce sont elles qui vous servent de bouclier face à l'adversité, ce sont elles qui sont vos remparts et ce sont elles qui vous guident et vous mènent. Vos peurs sont vos plus grands freins et vos plus grands coups d'accélérateur. Ce sont vos peurs qui vous guident.

Arriver à les voir sous cet angle est un grand avantage. Une fois que vous savez transcender vos peurs, que vous savez les entendre et les écouter sans vous y associer, alors vous pouvez grandir.

Vos peurs sont vos alliées. Elles sont là pour vous. Vous passez trop de temps à les juger, les blâmer, les rejeter, alors que c'est en les aimant et les acceptant, ce qui veut dire encore une fois les vivre et les incarner, qu'alors vous pouvez passer à l'étape supérieure.

Tant que vous ne faites pas l'expérience de vos peurs, que vous ne les incarnez pas, elles resteront comme un palier infranchissable. La porte restera inatteignable et fermée.

Vivre une peur, ça veut dire accepter « l'échec » dans votre croyance que l'échec existe. Vivre une peur, c'est accepter de faire et d'agir contre le regard de la majorité.

Vivre une peur, c'est accepter d'être critiqués, critiquables, salis, blâmables. Vivre une peur, c'est accepter de croire que vous ne serez plus aimés.

Nous vous l'avons dit, vous êtes aimés à chaque instant, quelle que soit votre expérience.

Vivre une peur va vous permettre de vous rendre compte de cela. Qu'en réalité il n'y a que la peur ou l'amour. Et qu'en réalité, même à travers la peur, vous êtes aimables.

Une fois la peur franchie, dépassée, vécue, incarnée, transcendée, alors vous faites l'expérience de l'amour.

L'amour coule de source.

L'amour est la source. L'amour est infini et divin. Il n'a pas de limite. L'amour est l'essence du ciel. L'amour est l'essentiel. L'amour est votre essence. L'amour est votre sens. L'amour est le sens, la direction. Tout est amour. Vous l'avez juste oublié et votre chemin est de le retrouver. Alors oui, ce que nous voulons que vous retrouviez aux travers de ces lignes ; c'est l'Amour.

Merci.

- -

JE DEMANDE AUX GUIDANCES DE S'EXPRIMER À TRAVERS MOI, POUR LE BIEN DE L'HUMANITÉ. QUEL MESSAGE L'HUMANITÉ A BESOIN D'ENTENDRE EN CE MOMENT ? -

Il est temps.
Vous êtes ici-bas à un moment charnière.

Un moment de révolution spirituelle. C'est l'heure du grand changement. Votre manière de vivre jusqu'à présent est révolue. La Terre mère Gaïa, vous le montre. Elle est votre reflet. Il est temps de vous harmoniser avec vous-mêmes et de vous écouter.
Il n'est plus temps d'être en guerre et en lutte avec vous-mêmes. Il est temps de goûter à nouveau ce que vous avez oublié : la renaissance. Il est temps de ressentir à nouveau la joie et la volupté couler à travers vous. Il est temps d'être à l'écoute.

Moins vous vous écouterez, plus les messages pour vous le faire comprendre seront violents.

Quand nous disons violent, c'est une façon de parler. C'est une expérience que vous allez vivre qui est proportionnelle à votre résistance. Elle n'est pas plus violente que ce que vous vous infligez déjà à vous-même inconsciemment.

Vous êtes endormis.

Vous êtes nombreux à être placés de manière stratégique sur Terre. Vos rôles sont définis et vous êtes à l'œuvre. Chacun son rôle, son domaine, son action.

Tout cela est prévu, tout cela doit se faire, tout cela est en train de se faire. Réceptionnez les cadeaux que l'on vous envoie même si ce sont des missiles. Ceci est un électrochoc pour vous réveiller.

Ce message s'adresse à toutes les âmes qui se souviennent.

Lâchez, accueillez, ne luttez pas, laissez-vous mener. Vous savez de quoi il en retourne. Plus vous serez dociles et réceptifs, plus les choses pourront se mettre en place. Vous êtes prêts, n'ayez pas peur, vous êtes là pour cela. L'heure a sonné.

Soyez fiers et assumez vos rôles, sans comparaisons mais avec passion et parcimonie. L'ordre des choses est en cours, nous avons besoin de vous et vous avez besoin de nous.

Réveillez-vous. Levez-vous. Brandissez-vous.

Votre joie sera là et nous serons tous là mais il faut se mettre en mouvement. En action. Il n'est plus temps de vous dorloter et de prendre votre mission avec douceur. Il faut y aller.

Vous allez être de plus en plus nombreux à recevoir des messages et des guidances. Vous allez être plus nombreux à combattre l'ennemi. Nous sommes en temps de guerre. Même si elle est invisible aux yeux de certains. Ce qui se joue ici est plus grand que vous ne le pensez, mais vous le savez.

Pas besoin de se souvenir totalement.
Agissez. Soyez au poste. Soyez debout.

Tout ceci est en train d'avoir lieu.

Ce message peut faire peur. C'est frontalier.
Nous avons besoin de votre confiance et de vos capacités extrasensorielles. Nous avons besoin de vos corps. Vous avez besoin de nous.
Agissons ensemble pour le bien de l'humanité. Il est temps.
C'est un temps d'action, de confrontation, d'hibernation, de révélation, d'extase et de libération. Cela ne se fera pas en douceur.
Vous êtes prêts. Il est temps. Ne dormez plus, mais réveillez-vous.
Les secousses seront nécessaires. Vous avez besoin d'être stimulés.
Cela durera un temps.

Il est de votre devoir d'éveiller les consciences. D'accompagner toute âme sur son chemin. Il est de votre devoir de rayonner, de transmettre, de partager, de diffuser. Ne vous cachez plus, assumez.

Vous allez découvrir encore bien des choses. Des voyages extraordinaires au cœur de l'ordinaire.
Vous n'êtes pas au bout de vos peines. Vous n'êtes pas arrivés à destination. Cela ne fait que commencer et ce sera merveilleux.

Vous avez les ressources nécessaires pour faire face à tout cela.
Vous êtes prêts.

L'entraînement est terminé, vous allez y aller.

Il est temps et vous serez récompensés.

Récompensés en expériences et en guidances. Suivez-nous. Suivez-vous et agissez.

Merci.

- -

QUEL MESSAGE L'HUMANITÉ A BESOIN D'ENTENDRE PAR RAPPORT À CES PROPOS ? COMMENT UTILISER CES RESSOURCES DONT VOUS PARLEZ ? - - - - - - - - - - - - - - - -

Vous le savez
au fond de vous.

Suivez votre cœur et votre corps. Soyez à l'écoute de vous-mêmes. Ceci est très fin et subtil. Et cela va l'être de plus en plus. Vos corps évoluent et vous gagnez en subtilité. Suivez ces sensations. Ne vous focalisez plus sur le regard des autres. Ne vous focalisez plus sur ce qui est censé être juste ou pas. Le rapport n'est plus le même. Vous ne pouvez pas encore le savoir, ceci est en cours. Ceci se vit.

Soyez juste à l'écoute de chaque instant. Soyez à l'écoute de vous-mêmes et rien que de vous-mêmes. Connectez-vous à la source, à votre moi supérieur.

Faites les rituels que vous souhaitez si cela vous rassure, nous sommes là de toute façon.

Que ce soit en conscience ou non, vous êtes à l'œuvre.

Chacun fait son chemin, pour certains c'est voulu que ce ne soit pas en conscience. Pour d'autres il le faut. Tout est parfait. Écoutez, réceptionnez et agissez.

Ce que vous avez à faire c'est être le réceptacle.
Chacun à votre manière. Nous vous guidons mais faites-vous confiance aussi. Pas besoin de comprendre ou de contrôler, ni même de maîtriser. Soyez à l'œuvre.

- -

AURIEZ-VOUS UNE PRIÈRE
À NOUS RECOMMANDER ? -

« Vous qui êtes aux cieux,
entendez-moi,
je suis là tout près de vous,
prêt(e) à vous écouter
et à réceptionner.
Envoyez-moi les guidances
dont j'ai besoin
pour être à l'œuvre juste.
Je suis un enfant de l'univers,
Gaïa est en moi
et je rends au monde
le service qui m'est distribué.
Je suis à l'œuvre dans mon rôle.
Je vous suis.
Réceptivité et détente,
Voici mes maîtres mots.

Amen »

Le bonheur

**UN ESPRIT ÉCLAIRÉ
EST PLUS RÉCEPTIF À LA LUMIÈRE.**

Afin d'asseoir et mieux centrer votre esprit dans cette lecture, il est nécessaire que nous clarifiions les définitions des termes utilisés quotidiennement, mais sans réellement en comprendre la substance.

Partie 1

QUEL MESSAGE L'HUMANITÉ A BESOIN D'ENTENDRE POUR ÊTRE HEUREUX ? -

*Ah le bonheur, être heureux, c'est la quête
à travers laquelle vous expérimentez tous.*

Vous croyez que le bonheur est juste la joie et l'extase mais ce n'est pas cela. Le bonheur c'est être en paix avec soi dans n'importe quelle situation.

Le bonheur c'est être en paix et dans une posture de recul face à un conflit.

Être heureux, vivre le bonheur demande d'avoir une maîtrise de soi, de son corps, de ses émotions.
Par maîtrise, nous n'entendons pas contrôler ce qui est vécu à travers vous, mais laisser vivre ce qui vient.

Si une période de doute, de conflit, de dispute, de ce que vous appelez « échec » vient à vous, ce n'est pas pour vous empêcher d'être heureux mais au contraire pour vous donner l'opportunité de l'être.

Le bonheur est un état. Un état d'être.
Un sentiment, un choix, une réaction face à un événement. Vous vivez dans la dualité. La meilleure façon d'apprendre et d'incarner le bonheur c'est de le vivre dans l'adversité.

Dans la matrice,
vous manquez de recul.

Vous vous associez aux émotions, aux paroles, aux pensées, aux événements... Vous êtes là pour expérimenter dans la matière.
Votre âme est là pour cela. Vous le savez. Mais le bonheur c'est être connecté au grand tout, tout en faisant l'expérience de la matière.
C'est vivre l'émotion, par exemple, tout en restant centré à la part la plus divine qui est en vous. C'est en étant en lien avec cette part divine, cette foi, ce dieu, cette énergie, cette source, appelez cela comme vous le souhaitez. Cette lumière profonde est source de sérénité, de bonheur, de joie et c'est de là que vient l'humour.
Avoir du recul est nécessaire pour être heureux et vivre le bonheur.

Vous vous demandez souvent, comment être plus heureux. Mais la vraie question est : Pourquoi être plus heureux ?

En répondant à cette question, vous aurez les guidances de votre âme. Ce qu'elle cherche pour se nourrir.

Être heureux pour une personne que l'on aime. Être heureux pour ressentir, faire l'expérience de la sérénité. Être heureux pour enfin oser et s'autoriser à suivre un rêve le plus fou. Être heureux, pour se lâcher la grappe, et faire taire cette voix dans la tête. Être heureux pour voir la grâce qui vous entoure. Être heureux pour vibrer et transformer et impacter ce qui est autour de vous. Être heureux pour vivre. Être heureux pour ressentir la joie du parfum d'une fleur. Être heureux pour...

Prenez le temps d'écrire ce qui vous vient. Chaque jour un peu. Vous vous rendrez compte qu'être heureux, c'est simplement être vous, ici et maintenant, là, présents.

Être présent c'est être cadeau.
Un cadeau pour vous-mêmes.

Vous vous fermez les portes de ce cadeau à cause de votre mental, de vos peurs, de vos projections, de vos imaginations. C'est cet écran mental qui vous berne et vous berce. Être heureux c'est revenir dans l'insouciance de l'instant. C'est revenir ici, faire l'expérience de ce que votre âme est venue faire grandir en elle sur cette Terre.

Vous cherchez au lieu de trouver. Il n'y a rien à chercher.

Le monde fonctionne mieux sans « vous ». Entendez bien ce que nous voulons dire au travers de cette phrase.

Le monde est parfait et il fonctionne de lui-même.

Vous vous prétendez comme importants, vous croyez que vous avez des choses à faire, à construire, à créer, à transformer.

Nous ne jugeons pas cela, faites-le donc. Mais vous allez vous rendre compte à un moment que vous vous épuisez.

Le monde agit en vous. Vous êtes des vecteurs. L'univers est invisible avec votre corps, c'est l'univers qui mène la danse. Vous, vous avez à suivre, à ressentir pour incarner dans la matière l'énergie que la vie veut vivre.

Vous n'avez pas besoin d'être en lutte, d'être dans l'effort. Vous avez à agir en lien, en dansant, en vous laissant guider par le Grand Tout. C'est comme cela que le monde fonctionne, et c'est comme cela que vous pouvez être heureux, en harmonie et dans l'abondance. La vie est magique et plus grande que vous ne le savez. Nous vous le disons car vous le sentez et le croyez au fond de vous. Nous ne vous apprenons rien, nous vous réveillons. Nous ne vous jugeons pas, nous vous aimons.

Vous avez le courage de faire cette expérience dans la matière. Expérience qui est pleine de limites comme le sont vos cinq sens. Agissez mais sans forcer.

Être heureux, pour quelles raisons ?
Telle est votre question, qui vous mènera aux réponses.

- -

**COMMENT VIVRE
UNE VIE DE BONHEUR ?** -

*En suivant vos envies
et votre cœur.*

Vous vivez trop dans la tête et dans un ordre « logique » que vous avez créé de toutes pièces mais qui en réalité n'est pas « logique ». Votre réflexion ne suit pas les lois de la nature, vous êtes trop dans le contrôle et vous avez établi des règles sur lesquelles vous référer, mais celles-ci sont fausses. Fausses dans le sens qu'elles ne suivent pas la fluidité de la vie, de l'harmonie, de la nature. Les lois spirituelles sont beaucoup plus faciles à suivre et demandent moins d'effort, moins de contrôle, moins de visibilité.

Vous aimez prévoir, être stratège, vérifier, maîtriser, contrôler. Vous voulez être dieu mais en réalité vous l'êtes déjà, vous l'avez oublié.

Le dieu est naturellement parfait. L'ordre des choses est harmonie et fluidité.

Si vous suiviez ces lois-là, au travers de votre cœur, de vos envies sans vous soucier du résultat, vous seriez surpris des cadeaux que l'univers vous envoie.

L'univers remercie ceux qui le respectent. L'univers est généreux, l'abondance est sans fin, il n'y a pas de limite. C'est vous qui vous mettez des limites avec votre tête, votre mental, votre ego, votre désir de pouvoir et de contrôler la vie.

La vie ne se contrôle pas, elle se vit. La vie ne se comprend pas, elle s'expérimente. La vie se suit.

Vous avez à suivre la vie. Suivre le mouvement. Suivre l'énergie. Suivre votre corps, votre cœur et votre âme, votre intuition, votre chakra créatif.

Suivez sans réfléchir
ce qui vous sourit à l'intérieur.

Bien sûr, vous pouvez harmoniser dans la matière avec votre système. Lier le cœur à l'économie. Votre liberté à la contrainte du monde que vous avez créé. Rien n'est antinomique, suivez le guide.

Le guide est à l'intérieur de vous, c'est votre cœur. Vous n'avez rien d'autre à faire que de retrouver votre âme d'enfant.

Un enfant joue, suit ses envies, il ne réfléchit pas, il agit. Faites la même chose avec votre conscience d'adulte et votre monde en sera meilleur.

À vous interdire de vous faire plaisir parce que vous avez des responsabilités, des contraintes, un manque de temps ou autre... vous vous rendez importants mais vous oubliez Votre Important. En vibrant ce manque, cet interdit, vous générez de la frustration. Et cela développe la lutte, les guerres, les conflits, les maladies, le manque de sommeil etc...

Vous faites du mal à votre corps et à votre santé mentale, physique et spirituelle à ne pas écouter simplement ce qui est en vous.

Vos envies.
Suivre vos envies vous rendra heureux.

Toutes les limites que vous inventez, viennent de votre mental, de vos peurs, de vos croyances, de votre interprétation de la réalité. Vous vous usurpez. Vous vous trompez à croire ce que votre tête vous dicte.

Tant que vous serez dans votre égo et non dans votre cœur, votre vie sera faite de lutte, de déception, de hauts et de bas mais vous ne toucherez pas le bonheur simple de vivre l'envie.

Vous vibrez l'ennui bien trop souvent et vous cherchez comment le quitter et être heureux.
Vous cherchez à l'extérieur, au lieu de trouver à l'intérieur.

Tout est en vous.
Entrez en vous et vous verrez la lumière.

Un être Heureux est un être de Lumière, un être Lumineux. Lumineux de joie car il s'autorise à vivre et à suivre ce qui vient à l'instant dans son cœur.

En le faisant vous vous rendrez compte de l'ordre parfait des choses. Vous découvrirez des miracles venant de nulle part. Ces miracles viendront en réalité de vous, de ce que vous vibrez et de ce que vous vivez.

De nombreux livres sont écrits aujourd'hui sur ce que vous appelez la loi de l'intention, de l'attraction, ces pouvoirs magiques sont en vous et ils vous constituent. Ils font votre réalité quoi que vous en pensiez, que vous le sachiez ou non, ces lois spirituelles vous animent et vous dessinent. Ce sont elles qui font votre vie.
Alors vibrez l'amour, vibrez la joie, suivez vos envies et faites confiance. C'est par la confiance que les choses peuvent arriver.

Faites confiance à l'univers, faites confiance au tout est possible, faites confiance à vos envies, faites-vous confiance et tout ira bien.

- -
COMMENT FAIRE POUR APPRÉCIER TOUS LES PETITS INSTANTS DE LA VIE ? -

L'instant présent est la clé, c'est la seule chose à vivre et le seul temps dans lequel vous êtes.

Si vous n'êtes plus dans le mental, dans les projections que vous vous créez alors vous revenez au présent, dans votre corps, dans vos sensations, dans vos cinq sens et dans votre cœur.

Il n'y a que vos pensées, votre mental qui vous coupent de la Source et de la joie. La joie est partout à chaque instant. La joie est avec vous à chaque moment, c'est à vous de le voir. Quelle que soit la situation que vous vivez, ce qui compte c'est ce que vous vibrez.

Où que vous soyez,
la source de joie est là.

Chaque moment est une opportunité, une opportunité d'être nourri, une opportunité de vie. Même dans une situation de conflit, de guerre, il y a la possibilité de vibrer l'amour mais vous n'êtes pas forcément prêts à entendre cela.

Pour profiter de chaque instant, l'important n'est pas ce qui se passe autour de vous, mais ce qui se passe en vous.

C'est vous qui créez votre abondance émotionnelle, c'est vous qui êtes maître de votre vibration, de votre intérieur, de ce que vous vivez quelle que soit la situation dans laquelle vous êtes.

Le bonheur est une quête intérieure,
le bonheur est un choix, le bonheur est une décision.

Le bonheur se travaille, c'est une quête intérieure.

Votre époque, votre société sont faites pour cela, pour évoluer dans la dualité dans laquelle vous êtes, c'est justement parce que vous consommez, cherchez à faire du profit, de l'argent, à consommer des biens, vous cherchez à l'extérieur.

Cette expérience est prévue pour vous montrer la voie, pour vous montrer que cela ne passe pas par là.

C'est en expérimentant le fait de chercher désespérément à combler un vide, que vous allez vous rendre compte qu'en réalité il n'y a rien à combler, car le plein est en vous.

C'est à vous de créer le plein, c'est à vous de rayonner, c'est à vous de prendre soin de vous, c'est à vous de vous nourrir, tout est déjà en vous. C'est en donnant, que vous recevez. C'est en faisant que vous récoltez. C'est en agissant que vous ressentez. La vie est un mouvement, un perpétuel mouvement de transformation. Vous avez à faire l'expérience de ce qui ne va pas, pour comprendre le bon chemin.

Le monde a été conçu pour vous, avec un libre arbitre
afin que vous puissiez grandir, faire des choix.

Lorsque vous vous « trompez », même si dans la réalité on ne peut pas se tromper ou faire d'erreurs, vous faites juste une expérience. Est-ce que votre expérience vous convient ? Est-ce que votre expérience vous nourrit ? Est-ce que votre expérience vous rend heureux ? Plus vous ferez, plus vous expérimenterez, plus vous essayerez, plus vous saurez et la réponse est en vous.

Personne ne peut vous dire ce qui est bon pour vous, c'est à vous de le trouver. Essayez et vous verrez.

Est-ce que vous savourez chaque instant de la vie ? Ou êtes-vous en train d'essayer de combler quelque chose ? Quel est le fond de votre pensée, la cause de vos actions ? Plus vous serez conscients du « Pour Quoi » vous faites les choses, plus vous irez dans la bonne direction.

C'est à vous de trouver la voie. C'est à vous de savoir. C'est votre vibration qui vous guidera. Par vibration nous entendons votre énergie, votre joie, votre santé, votre vitalité.

Vos pensées sont-elles tournées vers le positif, le plein ou vers le négatif, le manque ? Est-ce que vous désirez ou est-ce que vous voulez donner ? À vous de voir, tout est ok c'est juste un processus, un éternel mouvement. Vous êtes dans la mouvance de la joie.

Même en étant dans le malheur, c'est une façon d'expérimenter le bonheur. La métaphore c'est que pour connaître la lumière il faut du sombre. Une bougie n'éclaire qu'une salle dans la pénombre. Pour éclairer votre cœur, cela peut passer par vivre des zones d'ombres. C'est pourquoi il n'y a pas de mauvais choix, il n'y a que des expériences qui sont là pour vous rapprocher de votre cœur.

Alors comment savourer chaque instant ?

En prenant la décision de le faire. Ce faisant vous allez rencontrer les obstacles que vous portez en vous, vos freins, comme par exemple vos pensées négatives ou limitantes. Ces obstacles sont là pour vous raffermir de l'intérieur. C'est un chemin, une voie, un combat, un muscle à faire grandir.

Si vous n'aviez pas ce chemin, vous seriez dans le bonheur mais vous ne sauriez pas que vous l'êtes.

La vie sur Terre est faite pour vous faire grandir, vous faire prendre conscience, vous faire évoluer pour connaître la valeur des choses.

Vous devez prendre conscience de votre valeur et votre pouvoir.

Vous devez prendre conscience de la valeur de la vie et de votre être.

Vous grandissez avec des poids, des filtres, des interprétations. Chaque douleur que vous portez est une voie pour vous amener à la transformer et faire l'expérience de la légèreté, du bonheur.
C'est la même chose pour chacun de vous, que vous en ayez conscience ou non. Plus vous serez conscients, plus vous irez loin dans votre éveil. Quand nous disons « en conscience », ce n'est pas forcément « l'analyser ». Certains le vivent intuitivement et se laissent porter. Ils ne se rendent pas compte qu'ils évoluent mais ils le font en conscience malgré tout via leur intuition, leur cœur. Leur âme le sait même si la tête ne le sait pas. Chacun fait ce chemin.

Comment profiter de chaque instant ? En voyant la beauté de la vie qui vous entoure. En voyant le beau là où c'est « moche » selon vos critères.

Profitez de chaque instant, en honorant chaque instant. Vivez-le comme un cadeau, un présent. Le présent est un cadeau.

Soyez honorés de faire chaque expérience. Soyez honorés de lire ces lignes. Soyez honorés d'être là où vous êtes à cet instant précis. Soyez honorés du corps dans lequel vous êtes. Soyez honorés d'être.

- -
QU'AVEZ-VOUS À NOUS DIRE D'AUTRE
SUR CE SUJET ? -

Nous souhaitons commencer
par parler du bonheur.

Tout simplement parce que c'est la quête que vous avez tous ici-bas. Votre but dans la vie est d'être heureux et les galaxies ont besoin que vous soyez heureux et épanouis pour vibrer la bonne fréquence et faire le bien autour de vous.

Nous reviendrons plus tard sur l'importance d'être dans cette énergie pour le bien de l'humanité, de la Terre, de votre galaxie et du Grand Tout.

Avant tout de chose, sachez cela, si le sens de votre vie est d'être heureux, il y a une raison à cela.

Notre objectif est que vous soyez des êtres de lumière, des êtres éveillés, en pleine conscience. En réalité c'est ce que vous êtes déjà mais vous l'avez oublié.

Notre but est que vous arriviez à vibrer cette lumière dans votre incarnation. Cette vibration Terrestre est très importante pour nous et pour le bien du Grand Tout.

Il n'y a pas de mauvais chemins pour y arriver, juste des expériences, une expérimentation de votre part.

Vous êtes là pour expérimenter dans la matière la pleine conscience et la prise de conscience du chemin qui vous y mène.

Ce chemin est prévu pour vous faire grandir, vous endurcir, vous faire évoluer, vous faire changer. C'est un chemin de transformation constant. C'est ce qui vous anime au plus profond de vous. Votre âme est là pour cela. C'est le deal de départ.

Si vous êtes sur Terre c'est tout simplement pour faire l'expérience du bonheur. Et la seule manière de vous faire prendre conscience de la valeur du bonheur est de vous confronter à ce qui vous empêche d'être heureux. C'est comme cela que vous pouvez évoluer car vous avez à chercher la solution, les réponses. Sans cela vous ne seriez que dans le bonheur mais sans savoir que vous y êtes et le monde ne pourrait évoluer.

Voyez autour de vous, rien n'est permanent, tout est en mouvance, en transformation constante, en mouvement. C'est le mouvement de la vie, c'est le mouvement du grand tout. C'est là que vous êtes.

Ce que vous cherchez
c'est le mouvement.

Certains d'entre vous ont peur du mouvement.
Vos sociétés vous poussent à être endormis, à être dans une énergie stagnante.
Avec une vie « métro-boulot-dodo », à regarder la télé, à vous « larver » devant des écrans, internet, la consommation, l'argent, l'égo, la quête du pouvoir, la notoriété, la reconnaissance, le « m'as-tu vu », le « qu'en dira-t-on », vous vous éloignez de vous-même et de la Source. Ceci est voulu. C'est pour vous ramener sur le droit chemin et que vous vous rendiez compte que ce n'est pas la voie. Ce n'est pas là que votre cœur s'anime. Ce n'est pas là que votre âme se nourrit.

Chaque être humain
à un rôle à jouer.

Quel que ce soit le rôle que vous jouez, il est bénéfique pour la prise de conscience mais seul votre choix, votre libre arbitre décidera si le rôle de chacun est bénéfique pour le bien du Grand Tout.
Ce que nous voulons dire par là, c'est que si une personne a besoin de vivre le despotisme, le pouvoir, la prise de contrôle, ce rôle est voulu

pour sa petite personne dans sa petite vie, ce rôle sert à éveiller les consciences.

À vous de voir si vous le validez ou non, pour vibrer ce que vous souhaitez pour le bien de la Source, du Grand Tout.

Autre exemple, si une âme est venue sur Terre pour expérimenter la mort, le meurtre, la souffrance, le « mal » dans ce que vous appelez le mal dans la dualité de votre monde, ceci a deux buts.
Le premier est de faire évoluer l'âme du meurtrier. Il est là pour expérimenter cette vibration pour ensuite évoluer et faire un cheminement de conscience. Cette âme est là aussi pour faire évoluer ceux qui l'entourent, les victimes, les spectateurs et les autres. Chaque âme est là pour évoluer elle-même et pour faire évoluer les autres. Votre vie est là pour vous faire évoluer et faire évoluer le monde.

Votre pouvoir revient à votre libre arbitre. Qu'allez-vous faire de cela ? Quel comportement allez-vous choisir ?

C'est ce choix qui régit tout. C'est ce choix qui est le guide de votre réalisation. Ce choix est votre guide intérieur. Comment vous sentez-vous intérieurement ? Votre guide est votre cœur, votre intuition. C'est pour cela qu'il n'y a pas de bonnes ou mauvaises vies.
Il n'y a pas de chance ou de malchance. Que vous soyez dans une vie où vous naissez dans un pays riche ou un pays en guerre, du point de vue de l'évolution, ni l'une, ni l'autre n'est meilleure. Ce sont des manières différentes d'évoluer et de cheminer dans la prise de conscience de votre âme.

Vivre sur la planète Terre,
n'est pas un choix facile.

Ce n'est pas de tout confort. Il faut du courage pour s'y incarner. Ce courage, cette force vous l'avez car vous l'avez décidé. Vous avez choisi votre vie et votre incarnation. Vous avez choisi votre famille, votre pays, votre histoire et votre but de vie. Tout ceci a été prévu bien avant votre naissance. Vous l'avez oublié mais votre âme le sait. Il y a un plan plus grand qui régit tout cela. Mais ce n'est pas le sujet ici. Le sujet de ce premier chapitre c'est le bonheur. Mais pour aller en détail sur ce thème, il est important de comprendre cette logique de Grand Tout, d'évolution et de but d'incarnation.

Vous avez tous un but ici-bas.

De nombreuses approches sont à votre portée pour le découvrir et elles ne font que se développer. Ceci est voulu car il est temps de cheminer davantage en conscience.
Nous en reparlerons dans le chapitre 15.
Pour préciser, vous êtes là pour une raison. Vous êtes là pour évoluer et faire évoluer ce qui vous entoure. Vous êtes là car vous l'avez décidé. Vous êtes là pour le bien de tous.
En vous incarnant, vous vous engagez à vivre une mission. Cette mission a pour but : l'éveil. Et c'est en vous accordant à cette mission que la fluidité peut venir, dans le flow[1], donc l'énergie, donc le bonheur.

C'est en vous alignant à votre mission que vous allez vous rendre compte de l'ordre des choses et que la vie n'est pas une lutte comme vous le pensez ou le croyez.

Si vous n'êtes pas alignés, cela donne des problèmes de santé. Si vous n'êtes pas alignés, cela donne des difficultés relationnelles. Si vous

---

1. NdE : L'auteure a écrit « flow », dont l'écriture sera reprise tout au long du livre. Ce pourrait être traduit par « flux ».

n'êtes pas alignés, cela donne un manque d'énergie, de joie, de créativité, de vie.

Si vous n'êtes pas alignés, l'abondance ne peut circuler. Si vous n'êtes pas alignés, le bonheur n'est pas là car vous n'êtes pas au bon endroit, ni au bon moment. Si vous n'êtes pas alignés, la sécurité ne vient pas. Si vous n'êtes pas alignés, vous n'êtes tout simplement pas heureux. Mais

Si vous n'êtes pas alignés ce n'est pas grave pour autant, vous faites juste l'expérience inverse de ce qui est prévu pour vous et cela ne vous empêchera pas d'évoluer.

Votre évolution aura lieu quand même mais dans une vibration et une énergie plus basse.

C'est cette énergie basse qui cause les guerres, les conflits, la destruction, la maladie, les problèmes climatiques, les catastrophes naturelles, la mort, la peur, la souffrance, le mental, l'envie de contrôle, les pensées, le chimique, les ondes, la consommation, l'argent, le pouvoir, la politique... ce qui régit et gouverne votre monde.

Votre énergie est à l'envers, votre planète et votre monde ne tournent pas rond.

Ce que vous appelez comme des avancées sont en fait des régressions. Ceci vous endort et vous éloigne de la Source, du bien-être, de ce que vous êtes, de votre cœur, de l'amour, de la joie, de l'humour, du sacré, du bien-être, de l'abondance, de la magie, des miracles, de la vie. Mais encore une fois, ce n'est pas grave cela fait partie de votre évolution. Mais il est temps que cela s'arrête et que vous reveniez sur le droit chemin, la bonne énergie du moins.

Nous aimerions aussi vous dire
qu'il n'est jamais trop tard pour revenir sur la voie.

Tous les moments sont bons. Ils arrivent à chaque instant. Chaque instant est le bon moment. Ce qui compte c'est votre décision.

Que décidez-vous de faire maintenant ? Quelle direction souhaitez-vous prendre ? Quel choix faites-vous ?

Vous faites des choix à chaque instant. Chaque comportement est la conséquence d'un choix. Plus vous serez en conscience, plus vous ferez vos choix en conscience, plus le monde évoluera en conscience et dans la bonne direction.

Par bonne direction, nous entendons ce qui est bon pour vous et le bien de l'humanité et au-delà. Vous êtes prêts à entendre cela.

Si vous lisez ces lignes, si vous n'avez pas encore lâché ce livre de vos mains, c'est que vous faites partie de ceux qui sont là pour évoluer en conscience. Vous avez un rôle à jouer, votre âme vous appelle. Suivez ces guidances. Si vous en êtes là où vous en êtes aujourd'hui, c'est bien que vous avez avancé sur votre chemin. Vous faites partie de ceux qui sont éveillés. Votre rôle est très important car, vous êtes de ceux qui montrent la voie. Vous êtes des exemples. C'est une responsabilité qui est à votre hauteur, il ne faut pas en avoir peur.

Ayez confiance en ce qui vient. Ayez confiance en vos ressources. Ayez confiance en vos visions et sensations extra-sensorielles. Ces dons sont là pour éveiller, éclairer et montrer la voie.

Nous appelons les êtres de lumière ici-bas à être des phares pour l'humanité. Vous savez que quelque chose de plus grand est en marche et nous avons besoin de vous.

Il est très important de prendre soin de votre corps céleste. De prendre soin de vos antennes et de vos connexions à la Source quelles qu'elles soient. Écoutez vos guidances, elles sont en marche.

Tout ceci va vous permettre de vous sentir à votre place, à votre juste place.

Si vous êtes ici, c'est que vous avez relevé de nombreux défis, vous êtes des guerriers. Vous avez relevé des défis, des souffrances, des doutes, des luttes, des batailles et vous voici renforcés, vous êtes prêts et votre travail va être couronné de succès.

Vous allez vivre des choses extraordinaires, des choses miraculeuses, des choses qui sortent de l'ordinaire.

C'est important de prendre soin de cela.

Bien sûr, certains vont vous juger, bien sûr, certains vont vous rejeter mais vous êtes assez forts et au-delà de cela.

Vous êtes au bon endroit, au bon moment, vous en avez envie même si la peur est encore là.

Votre peur vous accompagnera sur ce chemin
mais elle n'est plus un frein.

Elle fait partie de vous, vous en avez besoin, elle sert à vous renforcer. Comme l'armure du guerrier qui peut être lourde à porter, celle-ci vous sert de protection et renforce vos muscles. L'armure vous rend plus fort.

La peur est votre armure.

Une autre alliée qui vous accompagne :
la foi.

Cette foi inébranlable qui est en vous, qui vous accompagne et vous pousse sur votre chemin. C'est de là que vient votre énergie, votre joie, votre feu sacré, votre amour pour l'humanité.

Car si vous vivez cette vie et lisez cette ligne, c'est que vous avez une foi profonde en l'humanité. Vous savez pardonner. Vous savez l'importance du pardon car vous l'avez vous-même vécu.

Que ce soit dans le rôle de celui qui est pardonné ou de celui qui pardonne, vous l'avez vécu des deux côtés, car vous vous êtes pardonné.

Derrière le pardon
existe une autre énergie : la grâce.

La grâce est la plus belle énergie qui soit avec l'abondance et le pardon. La grâce transcende tout. La grâce est ce qui fait la beauté de votre être et du monde. La grâce est ce qui fait que les choses existent. La grâce est l'énergie du Grand Tout. C'est la grâce qui anime chacun de vos gestes.
Soyez grâce. Soyez la grâce. Choyez la grâce.
Grâce à la grâce la vie est.
Avez-vous déjà vu un être sans grâce ? Ceci n'existe pas. Si vous ne la voyez pas, c'est que vous avez un voile devant les yeux.

Voyez la grâce autour de vous, c'est elle qui danse et mène le monde.

Par ailleurs, laissez nous vous dire une chose, une vie sans grâce n'existe pas. Même si certaines personnes vivent la souffrance, la maladie, la guerre, le sombre, ceci est quand même dû à la grâce. La grâce n'est pas forcément la joie, le bonheur ou le beau. La grâce c'est la vie quelle qu'elle soit.
Encore une fois, et nous savons que ce concept peut être difficile à entendre mais retenez ceci, la souffrance n'est pas négative, c'est une énergie. Une énergie comme une autre et elle est nécessaire.

C'est comme si vous compariez le soleil et la pluie. Les deux sont nécessaires et les deux ont leurs avantages et inconvénients. La joie ou la souffrance, vous avez à faire l'expérience des deux pour évoluer. Revenons sur la quête du bonheur, nous pourrions croire que nous divaguons avec ce que vous venez de lire mais tout cela est le même sujet. Le chemin, la voie qui vous mènent vers la lumière est : le bonheur, le « flow », la fluidité, l'inspiration, la respiration, l'énergie, le mouvement, la danse, la transformation, l'impermanence, l'avancée, savoir dire au revoir au passé.

Si vous voulez une vie passionnante de passions, vous avez à accepter le changement. Tout est transformation dans ce monde.

La première clef à retenir et à vivre pleinement, car entendez-nous bien, il ne suffit pas de lire et de comprendre un concept pour être heureux. Vous avez à le vivre, l'incarner.

La première des choses
que vous avez à incarner et vivre :
c'est accepter le changement.

Accepter que tout bouge et tout se transforme. Ce qui demande donc d'accepter les étapes du deuil. Accepter le temps. La notion de mort sert cela.
La mort telle que vous la percevez sur Terre, vous fait expérimenter cette notion que les choses ont un temps et que tout se transforme.

Vous arrivez lumière, vous bénéficiez d'un corps physique pour expérimenter la vie, ce corps évolue et se dégrade avec le temps et puis ce corps redevient poussière afin que vous soyez lumière à nouveau.

La mort fait partie intégrante du bonheur. La mort est ce qui vous rend heureux. Et voyez la logique, nous vous avons dit plus haut que la peur serait votre plus grande alliée. Pourquoi croyez-vous que vous ayez aussi peur de la mort et de la souffrance ? Ceci pour vous faire grandir et vous faire prendre conscience de la valeur de la vie et du bonheur et du temps qui passe et de l'instant présent.

L'instant présent est la deuxième clé.

Nous la développerons ensuite. Mais avant cela, entendez bien et incarnez-le bien : plus vous serez ok et accueillerez le processus de transformation qui implique un début et une fin, plus vous serez dans la joie de l'instant et donc dans le bonheur.
Le bonheur c'est l'impermanence. La mort fait partie du bonheur.
Ceci nous amène à la deuxième clé : l'instant présent.

Plus vous serez dans l'instant présent, dans l'ici et maintenant plus vous vivrez et vibrerez l'amour.

Le temps présent n'est fait que d'abondance et d'amour.
En lâchant votre tête, en revenant dans votre corps physique et dans l'expérience qu'il vous propose, vous serez heureux et bien. Votre pire ennemi face au présent est le mental. Votre tête bien faite, vous ment. Votre tête, vos pensées vous font quitter la réalité.
Avec vos pensées, vous vous créez un monde parallèle qui vous fait croire que c'est la réalité. Plus vous vous associez à vos pensées, plus vous croyez qu'elles sont vraies et moins vous êtes dans le réel.
Lisez « Le pouvoir de l'instant présent » de Eckart Tolle, lisez les écrits de Osho tout cela y est très bien expliqué.
Nous allons vous répéter des concepts que vous connaissez déjà et

qui ont besoin d'être répétés mais nous allons aussi vous en donner des nouveaux par la suite.

Acceptez le présent qui vous est offert. Voir les choses telles qu'elles sont est un processus.

Encore une fois, tout est évolution et prise de conscience.
La façon dont le monde est régi sur votre planète, vous fait développer le pouvoir de la pensée. Ceci pour deux raisons.
La première est pour vous faire développer la pensée, la réflexion, la logique, le mental. Vous faites d'abord l'expérience du mental comme quelque chose de constructif et de productif. Vous voyez cela comme un allié, un moyen de vous rendre intelligents. Vous voyez cela comme une évolution positive et cela nourrit l'égo. Votre monde est construit comme cela et votre réalité économique et matérielle vous mène à cela. Vous vivez dedans.
Ceci sert à vous montrer que c'est une voie possible mais ce n'est pas la bonne. Ceci est un leurre. Très rapidement votre intelligence est associée au pouvoir, à la force, à l'égo, au rapport de force. Ceci vous individualise, vous forge une personnalité et vous baignez dans cette réalité. Vous croyez que ceci est votre monde, mais ce n'est pas le cas.

Comme dit plus haut, vous êtes là pour évoluer et grandir en conscience. Ce cheminement sert à vous montrer l'erreur. Vous allez vous rendre compte que ce n'est pas la voie et que ce n'est pas cela le bonheur.

Vous êtes à une époque charnière car c'est le début de la fin de ce temps. Le début de la fin de l'égo, de l'économie, du matérialisme, du rapport de pouvoir. Cette transformation va être rapide et longue à la fois mais elle est en marche et c'est ce qui se passe déjà.
C'est en cela que certains parlent de fin du monde. C'est la fin d'une

ère qui est révolue. Et si vous lisez ces lignes c'est parce que vous avez un rôle à jouer dans ce changement. Tous à votre poste.

Il y a de la place pour tout le monde. L'abondance est là. Le pouvoir, l'égo, la politique actuelle, l'économie, la médecine, le pétrole, les guerres de territoire, tout cela doit cesser. Tout ceci est un leurre et une fausse réalité créée de toutes pièces.

Le changement vibratoire de Gaïa, de votre corps, du cosmique est là pour vous faire évoluer. Vous évoluez avec ce changement qui est en œuvre autour de vous. C'est la réalité du moment.

Il est temps de voir qu'une nouvelle façon de vivre, une nouvelle façon de vibrer est possible et en marche. Et vous le vivez actuellement.

Une nouvelle ère arrive et l'heure a sonné. Il est temps et c'est maintenant. C'est pourquoi il est primordial d'accepter et de vivre le changement comme nous le disions. C'est pourquoi il est temps d'être dans le présent, et la vraie réalité.

Vivre la nouvelle réalité, c'est vivre ce changement de paradigme, ce changement de conscience, ce changement de vie et votre façon de vivre.

Cette nouvelle manière de vivre va être bénéfique pour des sensations extra-sensorielles. Cette nouvelle façon de vivre va vous connecter au Grand Tout et aux énergies invisibles qui sont là autour de vous. Vous n'avez pas forcément besoin de savoir quelles sont ces énergies (âme, entité, ange, extraterrestre, énergie céleste, dieu... tout est possible). Certains vous parleront de cela en détail, ce n'est pas le sujet même de ce livre, nous avons un autre rôle ici.

Pour revenir à la pensée, à votre mental qui vous dévie de votre droit chemin nous avons dit qu'il y avait deux raisons à cela.

La première est donc de comprendre que le mental vous fait croire que vous êtes importants et que vous avez du pouvoir et du contrôle sur les choses, le monde, les autres, la planète Terre.

Vous croyez que vous avez une toute puissance en construisant des choses matérielles bénéfiques ou non pour votre quotidien. Ceci est révolu.

Mais la deuxième raison de vous avoir fait vibrer cela est pour vous permettre de développer le pouvoir de la pensée.

Et ceci est la 3eme clé du bonheur :
vos pensées créent votre réalité.

Plus vous allez en prendre conscience et voir à quel point ce que vous pensez, ressentez et vibrez crée votre réalité, plus vous allez monter en vibration. C'est la première étape. Vous connaissez le pouvoir de l'intention, la loi de l'attraction, etc...
De nombreuses personnes en parlent et nous vous invitons à expérimenter ce sujet du mieux que vous le pouvez car ceci constitue une première étape. Et nous n'allons pas développer ce sujet dans ce livre, car ce sujet est un livre en lui-même.

L'étape qui suit est que, plus vous allez être en maîtrise de vos pensées, plus vous serez conscient que vous créez votre propre réalité. Et plus vous en serez conscient, plus vous découvrirez une autre réalité.

La maîtrise de vos pensées, vous amène à créer un monde meilleur. Car vous manifestez à vous ce qui vous fait grandir et vous rend heureux, donc vous élevez votre vibration.

Arrivés à un certain cheminement, le but est que nous puissions, nous, énergies célestes, entrer en contact avec vous.

Le pouvoir de l'intention est une antenne relais pour communiquer avec vous. C'est la voie qui vous mène à nous, indubitablement.

C'est pourquoi nous avons besoin que vous soyez conscients et ayez une vibration élevée pour que nous puissions œuvrer à travers vous. Ce faisant vous allez vous rendre compte que votre intelligence, votre pouvoir, votre tête servent à vous relier avec le Grand Tout. Et vous ne serez donc plus dans un rapport de pouvoir, d'ego et de force avec le monde mais au contraire dans la fluidité et les lois de la vie. Vous allez vous rendre compte que la première étape de l'ego vous a renforcé en termes de compétences mais que vous viviez dans un leurre. Et vous allez vous rendre compte avec les miracles, les points de connexion nouveaux que vous allez vivre, que vous grandissez.

Vous allez faire une expérience d'abondance et de joie ; celle que vous cherchez depuis le début dans votre quête du bonheur. Alors préparez-vous à recevoir.

Car ceci est la quatrième clé du bonheur, la capacité à recevoir, à être dans l'intuition.

La réception de ce que nous vous envoyons et ce, que vous en soyez conscients ou non. Nous œuvrons chaque jour à vos côtés, que vous le sachiez ou non. Nous vous envoyons des guidances, des aides, des coups de pouce. Nous sommes là tout près de vous, nous vous aimons à chaque instant. C'est pourquoi vous entendez souvent cette phrase « vous n'êtes jamais seul », c'est vrai. Vous n'êtes jamais seuls. Et plus vous allez évoluer et cheminer en conscience pour aller voir, ressentir, entendre, et vous connecter en conscience à ce qui vous entoure, plus vous allez vous rendre compte qu'une autre réalité existe et que celle-ci est plus juste et plus vraie.

Vous allez de plus en plus développer ces connexions avec nous. Ces sensations extrasensorielles servent à cela. Et cela va aller bien au-delà de ce que vous pouvez imaginer.

Cela vient à vous et vous êtes prêts. C'est pourquoi vous allez être de plus en plus réceptifs. La réceptivité est une qualité puissante et en la vibrant vous ferez l'expérience de l'abondance, du Grand Tout. Vous expérimenterez et saurez à quel point le vide n'existe pas.

Développez votre écoute, votre intuition, vos rêves, vos visions, vos sensibilités physiques, émotionnelles.

Allez au-delà de vos cinq sens, ceux-ci sont des portes d'entrée mais ils vont plus loin. Vous avez la capacité d'aller plus loin et de ressentir davantage. Développez ces sensibilités extrasensorielles. Elles se développent et viennent à vous mais votre travail est de les accueillir, de ne pas être en lutte, de pas avoir peur. D'ouvrir ce canal et cette ouverture. C'est pourquoi et nous le répétons encore pour arriver à cela vous avez à :
**accepter le changement
être dans le présent
quitter le mental
développer votre écoute, votre intuition,
votre énergie de réceptivité**

Afin que ces énergies puissent se manifester et vous emmener là où vous devez être. Moins vous résisterez plus ce sera fluide et plus vous vous sentirez en harmonie avec vous-mêmes, la vie, les lois de la vie et l'énergie de la source qui n'est qu'abondance, amour, joie et humour.

Et ceci amène à la cinquième clé
du bonheur et du bien-être : la foi

Plus vous aurez foi en vous et en ce qui est en marche, plus cela s'ouvrira. Plus vous aurez le sourire. Car la foi est votre moteur. La foi est ce qui permet d'avoir la confiance suffisante pour contrer la peur.

Transcendez votre peur avec votre foi. Pourquoi croyez-vous que c'est par le foie que se nettoie la bile ? Ne vous faites plus de bile, ayez la foi.

La foi est votre moteur. C'est ce qui vous permet de montrer ce que vous avez dans le ventre. Oui nous aimons l'humour et les jeux de mots car c'est ce qui suit, la sixième étape pour arriver au bonheur, c'est l'humour. Les chemins que nous prendrons pour vous connecter à nous, passeront par des étapes de vie particulière et bien souvent pleines d'humour avec le recul. Nous développerons cela au chapitre 16.
Pour revenir à la foi : seul vous-même, pouvez en prendre soin. C'est là que se joue notre point de contact. Avec la foi, les choses se font d'elles-mêmes, c'est fluide, c'est doux, c'est jouissif, amusant, miraculeux et plein d'amour.

Cet amour vient du fait que vous ouvrez ce canal car vous êtes alors un amoureux de la vie, vous voyez l'abondance, vous prenez cela comme un jeu et vous êtes dans la bonne énergie.

Tout circule et vous dansez main dans la main avec nous. Comme un enfant qui jouerait à sauter tout en marchant avec ses deux parents qui le tiennent chacun d'une main. C'est harmonieux et heureux.

Si à contrario, vous êtes à contre-courant, que vous n'avez pas la foi alors là arrive le conflit.

Là, vous faites une expérience de doute, de résistance, vous avez l'impression que le monde entier se ligue contre vous, que rien ne fonctionne, cela vous épuise.

Ce que vous faites ne fonctionne pas, vous êtes en lutte. C'est parce que vous résistez au changement, vous résistez au canal de réceptivité, vous résistez à ce que nous vous envoyons.

Nous sommes en train de vous montrer une voie et vous refusez de la voir et de l'accueillir.

Comme un enfant qui pleure et refuse d'avancer alors que les parents veulent le mener à un endroit bon pour lui, mais l'enfant ne le sait pas encore, il n'en a pas conscience. L'enfant résiste, pleure, se fatigue mais cela ne changera rien, c'est bien le parent qui finit par avoir le dernier mot. Un parent quoiqu'il fasse a toujours de l'amour pour son enfant. Certaines personnes ne se croient pas aimées par leurs parents, c'est une interprétation, elle est fréquente. Mais l'inverse n'existe pas.

C'est la même chose dans votre relation à nous, au Grand Tout, aux énergies célestes.

Nous vous aimons. Ce que nous faisons pour vous, nos guidances sont bonnes pour vous.

C'est pourquoi nous répétons qu'il n'y a pas à avoir peur. Vous êtes aimés, vous êtes guidés, vous êtes choyés. Un chemin est prévu pour vous, pour votre bien et pour le bien de tous.

La foi est donc une part importante du bonheur.

Elle est la clé de notre point de contact. Imaginez que nous soyons la voiture, vous êtes le conducteur, la clé qui fait démarrer est la foi. C'est la foi qui nous réunit.

Ceci constitue la première partie.

POUR RÉSUMER :

> Acceptez le changement, le fait que la peur, la mort, la transformation de toute chose fait partie du processus pour évoluer et grandir.

> Soyez dans le présent et quittez votre mental et vos fausses perceptions et croyances de la réalité. La réalité parallèle que vous vous créez est fausse.

C'est d'ailleurs pourquoi dans les films, les livres de fiction, les mondes parallèles sont perçus comme des illusions, ceci est pour vous tromper.

Ceux qui appellent cela comme des réalités parallèles (les extraterrestres, les sensations extrasensorielles, les âmes errantes, les elfes, les fées, les anges, archanges etc..) veulent garder le pouvoir de l'égo et sont là pour vous freiner dans votre éveil de conscience. Ils sont dans la peur. Ils vivent dans la réalité de leur tête mais la vraie réalité est tout autre.

Vous allez avoir l'occasion d'en découvrir une part.

La réalité, la vraie, est bien loin de ce que vous pouvez imaginer et vous allez la découvrir par palier et sur le long terme. Une vie ne suffit pas pour découvrir la vraie (réalité). Mais à l'heure actuelle, vous allez avoir l'occasion d'en découvrir une nouvelle couche.

> C'est pourquoi la foi est importante pour ouvrir cette porte et que la transformation ait lieu pour l'humanité.

La foi amène l'amour et la joie.

> Et ensuite ceci amène à l'humour. Mais l'humour fait partie des six principes qui vont suivre et qui vont vous demander un certain recul sur les choses, la vie et vous-mêmes.

Ceci est le sujet de la deuxième partie du chapitre.

*Faites une pause et prenez le temps
d'intégrer ce qui vient d'être dit
avant de passer à la suite.*

Partie 2

Nous avons vu dans la partie précédente les portes d'entrées pour vous permettre d'être dans l'abondance et d'ouvrir le canal de communication avec la Source, le Grand Tout.

Les cinq premières clés sont des ressources. Des aides pour vous aligner à votre chemin. Ce que nous allons voir désormais, ce sont les 6 conséquences que cela entraîne.

Première conséquence : l'humour

La vie est pleine d'humour et quand vous arrivez à observer votre vie avec du recul, vous pouvez voir l'humour avec lequel les événements importants de votre vie sont arrivés. Une rencontre qui change la vie, un hasard qui n'en est pas un, une difficulté qui se transforme en opportunité.

Si vous êtes dans le flow, vous allez vous rendre compte qu'en réalité tout est orchestré, comme si tout était prévu d'avance. Il y a un plan qui existe pour vous et pour votre vie. C'est votre libre arbitre, vos choix qui vous détournent ou non du chemin.

Nous aimons l'humour car c'est une énergie ludique, de joie et de bienveillance. L'humour apporte du recul. Plus vous aurez du recul sur vous-mêmes et vos émotions et plus facilement circulera la joie.

La conséquence des cinq principes évoqués plus haut est de vous donner une vision plus éloignée de vous-mêmes. Comme en méditation, vous ne vous accrocherez plus aux pensées. Vous ne vous accrocherez plus non plus aux événements, aux personnes, à ce qui se passe autour de vous.

Cela glissera sur vous. Cela ne veut pas dire que vous n'aurez plus de sentiments ou d'affect mais seulement que vous verrez les choses avec une hauteur d'esprit. Un recul émotionnel. Vous resterez centrés et connectés à l'énergie de la Source en permanence.

Quoiqu'il se passe autour de vous, vous vous sentirez bien, confiants, avec une énergie infinie de bien-être. Vous vous sentirez en sécurité quoiqu'il se passe autour de vous.

C'est cet état de bien-être absolu, en lien avec l'abondance, qui fait que vous vous sentirez comblés, en joie, sereins.

C'est de cette vibration dont nous avons besoin, dont le monde a besoin. Car suite à cette vibration pourront se mettre en forme et en action des choses nouvelles.

Ce sera pour vous une manière de vous sentir « réalisés ».

En vous réalisant, en vivant ce comble d'abondance, vous apporterez au monde la transformation nécessaire. Vous serez alors à votre poste et la lumière pourra rayonner sur cette Terre.

L'énergie circulera dans le bon sens.

Deuxième conséquence :
la vibration du plein.

L'univers n'aime pas le vide, chaque énergie circule et comble la vie. En vibrant le plein avec joie, humour, amour et abondance vous ne laisserez plus la place aux plus basses énergies. Notamment les énergies sombres et négatives.
Certaines énergies venant de différents horizons vous freinent dans vos réalisations. C'est en suivant les cinq clés évoquées plus haut que vous vibrerez le plein et que vous ne laisserez plus la porte ouverte pour d'autres énergies maléfiques, sombres, despotiques et qui se nourrissent de la faiblesse humaine.

Plus votre énergie sera haute, plus elle transformera ce qui l'entoure. C'est la loi du karmique, de la cause à l'effet. C'est pourquoi il est important de vibrer haut. Pour le bien de tous et votre bien.

En vibrant le plein, vous vivrez le bien et la vie à laquelle vous aspirez pourra enfin être.

Troisième conséquence :
la transformation, la transcendance

En vibrant le plein et en atteignant un taux vibratoire aussi élevé, vous allez vous transformer et devenir des êtres de lumière incarnés. Vous allez devenir des personnes « extra-ordinaires ». Vous allez sortir de la réalité ordinaire humaine. Vous serez comme un humain doté de pouvoirs magiques. Vous serez aussi un humain connecté à ce qui est « extra-terrestre », ce qui veut dire « hors de la Terre ».

Vous serez connectés aux énergies invisibles qui pourront devenir visibles. Vos cinq sens seront plus éveillés et vous allez découvrir un autre monde, une autre réalité. Vous allez voir ce que vous ne voyiez pas avant. Vous allez entendre, ce que vous n'entendiez pas avant. Vous allez ressentir ce que vous ne ressentiez pas avant. Vous allez découvrir de nouveaux sens.

Votre corps va développer de nouvelles capacités et cela va profondément et radicalement changer votre vie et vos modes de vie.

C'est cela qui va faire évoluer fortement la conscience de l'humanité. C'est à ce point que nous aimerions que vous arriviez.

Vous allez y arriver si chacun d'entre vous accueille cela afin d'être au poste qui lui est confié. Vous avez à aider votre prochain.

Nous vous parlions d'être un phare pour l'humanité. Ce qui est prévu c'est que chacun d'entre vous apporte sa pierre à l'édifice.

Chacun d'entre vous a un rôle, un don, un devoir à faire pour accompagner chaque être humain dans son élévation de conscience et de transformation. Et ce faisant, cela vous amènera à la quatrième conséquence.

Quatrième conséquence :
votre but de vie

En atteignant cette élévation de conscience et en jouant le rôle qui vous est destiné sur Terre, vous vivrez votre but d'incarnation. Ce

pour quoi vous êtes faits. Et en vibrant votre rôle, votre but d'incarnation, vous vivrez enfin dans le bonheur et l'abondance car tout sera fluide. Vous serez connectés au Grand Tout, vous serez guidés, vous vous sentirez dans l'extase de l'abondance et vous vous sentirez en sécurité. Vous vivrez enfin ce que vous cherchiez depuis tout ce temps. Tel un fruit mûr, vous baignerez dans le jus de vos entrailles. Dans la toute-puissance de vos capacités et ce pour le bien de tous. Pour le bien de vous-mêmes et pour le bien de l'humanité.
Vous vous sentirez aimés, dans l'abondance infinie et dans la joie.

Cinquième conséquence :
le nouveau paradigme

En arrivant à cela, vous vivrez alors dans un nouveau monde, une nouvelle réalité, une nouvelle façon de vivre, d'être et d'aimer. Votre rapport au monde, aux autres va changer radicalement. La paix pourra alors être totale.
C'est la direction vers laquelle vous allez. C'est pourquoi nous vous disons, si vous voulez changer le monde, changez-vous d'abord vous-mêmes. Soyez le changement que vous voulez voir.

En appliquant ce qui est dit jusqu'ici, vous cheminerez et arriverez jusqu'à cette conscience et cette vibration nécessaire pour changer votre vision du monde et changer l'être que vous incarnez.

Vous serez alors la Meilleure Version de Vous-Mêmes. Vous pourrez accompagner votre entourage et les personnes qui ont besoin de vous pour avancer. Vous changerez le monde et en allant tous dans cette direction, vous irez vers la lumière.
La paix sera alors en marche. Vous serez aidés et accompagnés par d'autres énergies et tout se mettra en place.

Sixième conséquence :
le but final, l'objectif atteint

Une fois dans cette vibration et la paix, vous pourrez alors vivre votre vie comme il se doit. La Terre mère, Gaïa ira mieux, vous irez mieux, l'humanité ira mieux et cela impactera en positif les galaxies et ce qui vous entoure. Vous serez alors dans cette nouvelle ère. Celle que vous cherchiez et vous vibrerez ce que vous cherchiez depuis toujours : le bonheur.

Cette transformation prendra le temps qu'il faudra mais cela ira vite. Et c'est pour cela que nous avons besoin de vous. Nous avons besoin que vous vous éveilliez le plus rapidement possible et dans l'harmonie afin que cela se mette en place. Ce livre sert de guide pour vous aider à le vivre avec fluidité. Nous allons vous donner les conseils, les étapes, les mots que vous avez besoin d'entendre et de lire pour vous mettre en marche.

Plus vite vous serez au poste, mieux ce sera et nous éviterons l'inévitable. C'est la seule direction vers laquelle vous avez à être.

*Alors suivez les guidances, suivez-nous
et faites-nous confiance.*

- II -
La foi

NOUS SOUHAITONS VOUS PARLER DE LA FOI CAR C'EST VOTRE BOUSSOLE.

C'est par la foi que les choses peuvent être. C'est par la foi que les miracles arrivent. C'est par la foi que vous agissez. C'est par la foi que vous allez entrer en contact avec nous, vos anges gardiens, vos guides et vos protecteurs. Nous l'avons assez dit, vous allez entrer de plus en plus en contact avec nous.

La foi

La foi, c'est la confiance que les choses peuvent arriver même si vous ne savez pas comment. La foi c'est être convaincu qu'en lâchant prise sur vos pensées limitantes, vos peurs de manquer : manquer d'argent, manquer de temps, manquer d'amour, manquer de reconnaissance, manquer d'écoute, manquer de considération, etc... de belles choses vont vous arriver. Avoir la foi, c'est oser faire démarrer la voiture, rouler à cent à l'heure alors que vous êtes en plein brouillard.

En étant suffisamment connecté à vos intuitions, à vos envies, à vos aspirations profondes, en suivant votre cœur et non votre tête ou votre raison, alors vous verrez les miracles arriver dans votre vie.

Avoir la foi, c'est faire le vœu de ce que vous désirez au plus profond de vous, avec une vibration d'amour, de bonté, de générosité, de sens, d'alliance, d'union et pour le bien de tous et être convaincus que ce que vous désirez est déjà là.

Il n'y a pas d'espace-temps. Il n'y a pas de distance réelle entre ce que votre Esprit, et par Esprit nous entendons votre âme (pas votre mental), désire et la réalité.

La mise en place ou mise en forme de vos désirs est instantanée. Commandez et vous recevez. Demandez et vous êtes livrés.

Quand votre âme souhaite quelque chose, elle vous dicte et vous guide vers ce qui est bon pour vous.

Lorsque vous vous sentez inspiré, que vous avez une envie, une intuition, un appel c'est votre âme qui vous appelle pour vous montrer la voie. C'est pourquoi, si vous désirez quelque chose qui n'a de profit que pour vous et que vous ne vibrez pas l'amour, l'altruisme, la générosité, l'abondance, le fait de faire évoluer ce qui vous entoure alors cela ne marchera pas. Ce ne sont pas de bonnes raisons. Ce ne sont pas les vibrations de l'âme.

Vous obtiendrez peut-être ce que vous avez demandé mais ensuite cela créera des tensions, des angoisses ou un manque de fluidité, car vous aurez alors écouté votre tête et non votre cœur. Vous aurez écouté votre égo et non votre âme. Les désirs de vos têtes et de votre mental sont sur la fréquence de la peur.

Par exemple l'envie d'avoir de l'argent par peur d'en manquer, n'est pas la même vibration que l'envie d'avoir de l'argent pour vous permettre d'offrir quelque chose au monde. Ce qui vous est donné doit être redistribué.

Tout est énergie, tout est fait pour circuler. L'énergie stagnante est une énergie basse, boueuse et comme un boomerang elle revient vers vous d'une manière ou d'une autre.

Toute énergie que vous vibrez basse ou haute vous revient décuplée. C'est pourquoi, plus vous serez dans une vibration haute d'amour et de bonté, plus la vie vous le rendra. C'est ce que vous appelez le fameux effet miroir.

Ce qui vous entoure
vous montre qui vous êtes.

Ce que vous pensez des autres, reflète ce que vous pensez de vous-même. Tout est interrelié.

Votre corps vous fait croire qu'il y a des limites, que vous êtes « isolé », que vous êtes limité. Ça, c'est ce que vos yeux voient.

Mais la réalité est que tout est énergie. Tout est vibration. Tout est un. Vous n'êtes séparés de rien. Ce que vous vibrez à chaque instant, résonne autour et crée instantanément une réalité parallèle.

Le temps que prennent vos désirs à se matérialiser dans la matière est proportionnel à vos résistances. Ce sont vos limites inconscientes, mentales, émotionnelles, corporelles qui ralentissent la réalisation de vos rêves et aspirations.

Si par exemple vous rêvez d'être en couple mais que votre vibration résonne avec votre inconscient qui vous dit « tous les hommes ou toutes les femmes sont des lâches ». Forcément vous attirerez à vous des situations qui mettront en évidence la lâcheté.

Vous vivez ce que vous vibrez.

Plus vous êtes conscient de vos pensées, de votre inconscient, de vos mémoires cellulaires, de ce que vous portez en vous, plus vous pourrez vous libérer de votre passé et du poids que vous portez en vous. Plus vous vous nettoyez vibratoirement, plus vous serez apte à suivre ce qui est bon pour vous, c'est à dire votre âme.

C'est votre âme qui vous guide dans la vie.

Pour accéder à l'âme cela revient à suivre ses envies, son cœur, son corps. Il y a un alignement tête, cœur, corps à trouver.
Pour atteindre cet alignement vous avez à vous nettoyer. Vous libérer des croyances limitantes, du carcan familial, du conditionnement, des codes sociaux, de l'inconscient collectif, de vos habitudes de vie périmées, de vos peurs, de vos interprétations liées au passé.

Plus vous serez un être libre qui vit au présent, qui arrête d'interpréter, plus vous serez apte à être dans la vérité. La vérité de l'instant. Et dans l'instant, c'est votre âme qui est aux commandes.

C'est votre âme qui vous donne vos envies, vos aspirations, vos rêves les plus profonds.
Plus vous serez connecté à l'énergie du cœur, de la joie, de l'enfance car il y a un côté enfantin dans cette énergie. Il y a de l'émerveillement, de l'envie, envie de rire, de s'amuser, de jouer, c'est votre âme d'enfant. Ce qui n'empêche pas le côté construit, sérieux, concentré, de bien faire ou autre.
C'est juste que votre âme, c'est ce chatouillement dans votre cœur. C'est ce rêve que vous avez mais que vous ne faites pas forcément, de peur de ce que les autres vont dire.
Ou cette envie que vous ne réalisez pas, soi-disant parce que vous manquez de temps. Ou ce projet auquel vous aspirez mais que vous ne mettez pas en place, car vous trouvez de nombreuses excuses pour ne pas le faire.

Bien souvent vos excuses sont en lien avec votre monde matéria-liste qui vous limite. Vos croyances liées au système politique

C'est une vibration de peur. Le monde politique est régi de vibrations de peur. Ils le font exprès. Ils sont là pour vous limiter car les personnes qui sont au pouvoir n'ont pas intérêt à ce que vous bénéficiez de votre plein pouvoir à vous. Car en étant des êtres illimités et en étant dans votre plein potentiel, la politique va indubitablement s'effondrer car le pouvoir n'y aura plus sa place.

Vous serez les êtres au pouvoir et vous serez des êtres dans la vibration du partage, du bien-être, de l'amour et de la joie. Nous développerons ce sujet au chapitre 16.

En attendant pour revenir à vos envies réelles, votre âme est là pour vous guider. Pour suivre ces guidances, vous avez à sortir la tête de vos peurs. Vos excuses, vos croyances quant à la réalité économique vous freinent et vous font croire que vous allez être dans le manque, qu'il n'y a pas de place pour tout le monde.
Ceci est faux. L'abondance est là.
Les politiciens et la presse vous font croire qu'il y a des manques. Les conflits sont beaucoup plus hauts placés et d'un autre ordre. Moins vous écouterez cela, plus vous vous connecterez à votre réalité, plus vous accueillerez votre véritable vibration. Cette vibration est plus haute ; cette haute fréquence apporte l'abondance, le tout est possible et c'est avec cette foi inébranlable que nous vous conseillons d'avancer.

C'est avec cette foi, suivant votre cœur, en étant convaincu que tout va arriver, qu'alors les miracles vont réellement arriver.

Vos aspirations tant désirées par votre âme et votre cœur vont se matérialiser. Car vous aurez dépassé la peur, les limites et les croyances basses et « freinantes ».

Vous serez alors apte à créer la réalité que vous désirez et celle-ci se manifestera rapidement, simplement parce que vous vous serez alignés à votre âme.

Vous aurez gravi les échelons de la libération mentale, des peurs et du système dans lequel vous vivez. Vous serez un être libre, un rebelle de la société et vous serez apte à créer une nouvelle société, un nouveau monde.

Cette nouvelle ère qui arrive.

Vous serez arrivés à destination.

Pour arriver à ce chemin,
vous avez besoin de la foi.

Être convaincu que vous allez y arriver, être convaincu que ceci est possible. Être convaincu que votre rêve le plus fou est réalisable. Être convaincu que vous avez les capacités pour l'atteindre.

C'est pourquoi vous avez à maîtriser vos pensées, vos visions, votre mental. Vous avez à devenir un maître de votre tête pour vous en libérer et suivre votre cœur. Nous ne vous demandons pas de ne plus penser, au contraire. Mais nous vous appelons à suivre vos envies et votre cœur et non vos peurs et vos doutes.

Parfois les peurs et les doutes sont plus sournois et profonds que l'on imagine. De nombreuses approches existent aujourd'hui et d'autres vont arriver encore pour vous libérer de tout cela.

Là encore, laissez-vous guider. Viendront à vous les bonnes personnes, les bonnes expériences pour vous faire cheminer en conscience et arriver à vous libérer suffisamment pour être dans votre plein potentiel. N'oubliez pas la foi.

*Pour vous aider à renforcer votre foi
voici une prière que vous pouvez réciter chaque jour,
autant de fois que vous le souhaitez :*

*« Mon âme qui est au ciel et connectée à la Terre,
aide-moi à suivre tes guidances et mes envies.
Aide-moi à me mettre sur le chemin qui est bon et juste
pour moi dans ma réalisation.
Aide-moi à écouter tes signes, à ouvrir les vannes
pour réceptionner ce que tu m'envoies.
Permets-moi d'oser d'avantage
et oser me libérer de la peur.
J'accepte et j'accueille ce qui vient
et je garde la foi et l'espoir.
Ce que je souhaite est. Ce à quoi j'aspire est.
Merci de m'aider à le voir et le ressentir
à chaque instant.
Amen. »*

N'oubliez pas une chose, nous sommes là, autour de vous et nous faisons tout notre possible pour que les choses se réalisent. Comme la voiture dans le brouillard, si vous êtes suffisamment limpide dans votre vibration, les choses arriveront à vous et pas forcément comme vous l'aviez imaginé.

C'est cela le lâcher-prise.

C'est vouloir, c'est passer commande au Grand Tout pour ensuite oublier et lâcher. Soyez dans la vibration de la réceptivité pour que cela vienne à vous.
Si vous êtes dans le doute, alors votre vibration est pleine de doute.

Nous vous l'avons dit ; il n'y a pas de vide dans l'univers, tout est énergie. Si vous vibrez le doute que cela arrive, alors vous vivrez cela.

Si vous vibrez la foi dans le fait que cela va venir à vous, alors la porte est ouverte et effectivement ce que vous avez désiré viendra à vous. Et plus vous désirerez ce que votre âme souhaite, plus ce sera beau, fluide, glorieux, abondant et plein d'amour...

Votre âme est dans cette énergie d'amour inconditionnel. Votre âme est connectée à la Source. Soyez connectés à la foi de la Source et tout ira bien.

Pour muscler votre foi,
vous pouvez vous amuser à faire des exercices.

Faites des commandes à l'univers qui soient simples. Simples dans le sens que ceci ne soit pas confronté à des limites inconscientes.
Demandez quelque chose dont vous êtes certain que cela peut arriver mais sans savoir comment cela pourrait arriver.
Avoir la foi c'est faire confiance que l'univers va vous apporter ce que vous souhaitez. Vous êtes dans la voiture, vous savez où vous voulez aller mais vous laissez l'univers vous montrer le chemin pour y accéder. Faites confiance.

Pour vous endurcir dans cette expérience de foi, amusez-vous à voir les signes que vous envoie votre âme.

Par exemple, posez une question le soir avant de vous endormir et laissez la réponse venir à vous le lendemain.
Demandez un signe dans la journée qui soit clair et précis et soyez ouvert. La réponse peut venir par un panneau publicitaire, une phrase dite par un inconnu au restaurant, un ami qui vous appelle

à ce moment-là et vous parle d'un livre dont le sujet est en lien avec votre question. Tout signe peut venir de n'importe où.

Plus vous développerez cela, plus les signes vous seront attribués. Vous éveillerez votre conscience dans cette manière de voir et vos signes pourront devenir de plus en plus mystiques.

« Pour ma part, et là, c'est Aurore qui vous parle, je vois des signes au travers des chiffres que je rencontre, des plumes que je vois dans la rue, des rêves que je fais, des synchronicités que la vie m'envoie, des titres de chanson, des phrases que j'entends dans un film ou dans une conversation, d'un mot qui me vient au moment où je fais le ménage. Je prête attention là où mon regard se porte et je me dis que rien n'est dû au hasard. Désormais c'est comme cela que je fais des choix, que je mène ma vie. Je prête attention avec le recul à ce que mon corps, mes yeux, mes sens me font vivre. J'obtiens alors des réponses en posant au préalable une intention très claire sur la guidance que je souhaite recevoir. »

- -

JE DEMANDE À LA GUIDANCE DE PASSER À TRAVERS MOI : AVEZ-VOUS D'AUTRES CHOSES À DIRE À PROPOS DE LA FOI ? -

Oui, la foi est abordée
dans les textes religieux.

Nous vous demandons de choisir ce qui vous parle. Que ce soit au travers de la religion, des modes de pensée, de pratiques spirituelles ou autres, peu importe. Ce qui compte c'est de choisir ce qui vous convient, ce qui résonne en vous.

Qu'est-ce que la foi pour vous ?
Quelle définition en avez-vous ?
Partez de cela et suivez le chemin.

Nous vous demandons juste une chose : vérifiez que ce que vous croyez se vérifie dans la matière. Faites-vous réellement l'expérience de ce que vous prônez ? Ou est-ce encore juste votre tête et votre mental qui vous le font croire ?

Certaines personnes sont convaincues de ce sujet, elles ont la foi mais en regardant de l'extérieur, ce qu'elles vivent n'a rien à voir avec ce qu'elles se racontent dans leur tête.

Si vous avez la foi, que vous êtes convaincu que votre vie va s'améliorer, que vous allez améliorer un de vos comportements par exemple mais que vous ne faites rien pour y arriver, alors ce n'est pas de la foi. C'est juste une croyance cérébrale, une fausse excuse pour ne pas agir.

Vous vous dédouanez de toute responsabilité.

Avoir la foi en la vie, demande du courage, de la détermination, de l'action, de faire un choix. C'est agir et aller de l'avant même si vous ne savez pas comment vous allez arriver à votre destination.

Croire que les choses vont changer ou s'améliorer en pensant que cela viendra du ciel ou de nulle part cela n'existe pas. Nous pouvons vous aider à réaliser vos rêves mais vous devez faire votre part. Encore une fois c'est une question de vibration.

Si vous êtes dans la vibration du « je ne fais rien, j'attends que cela arrive » alors vous vibrez le « j'attends que cela arrive » et de plus, vous vibrez le manque de confiance en vous puisque vous ne vous croyez pas capable d'atteindre votre objectif.

Cette vibration n'est pas la bonne. Et si vous êtes convaincu qu'un jour cela arrivera c'est votre mental qui vous le fait croire. Ce qui arrivera, arrivera si vous le faites.

C'est de votre responsabilité, de votre devoir, de votre libre-arbitre.

C'est aussi simple que cela.

Avoir la foi, c'est agir avec conscience et gratitude. Être dans la gratitude que cela est déjà là, et vous avancez alors à la rencontre de ce que vous vibrez. Vous allez vers ce que vous avez demandé. Tel un cadeau, votre souhait sera exaucé au moment où vous vous y attendez le moins, au moment où vous n'y pensez plus. Quand vous n'y pensez plus, c'est comme si vous ouvriez une fenêtre ou une porte pour que le miracle arrive. Si vous attendez sur le pas de la porte, vous vibrez l'attente.

Si vous vivez, êtes dans l'action, pensez à autre chose tout en sachant que votre invité arrivera un jour. Alors un jour, au bon moment, la vie sonnera à votre porte et elle vous apportera ce que vous avez demandé : votre présent.

La foi est aussi
un exercice d'aventure.

C'est le joyeux luron qui part avec sa force de vie et de joie sans savoir où il va. Il est réceptif aux aventures, aux miracles de la vie, aux rencontres. Un être de foi est un être joyeux par nature. Un être qui sourit à la vie.

Avoir la foi, permet d'avoir une distance face aux événements. C'est un état d'être où rien ne peut troubler la sérénité intérieure puisque vous êtes dans la certitude que les bonnes choses vont arriver. Ce n'est pas être naïf. Ce n'est pas être insipide. C'est être intrépide.

Lorsque vous avez la foi, vous êtes en sécurité. Vous vibrez la sécurité. Vous vibrez le plein de ce que vous souhaitez donc rien de cela ne peut contrecarrer cette vibration.

En revanche, afin de raffermir et d'entretenir le muscle de la foi, vous allez vivre des événements qui vont vous mettre à l'épreuve. De fausses pistes qui seront là pour vous confronter à vos choix.
Allez-vous suivre une proposition alléchante qui vient à vous mais qui ne répond pas à vos aspirations profondes ? Vous pourriez alors avoir votre mental, qui, régi par la peur, vous fait croire que cette proposition qui vient à vous est une opportunité. Mais si vous avez la foi en ce qui est réellement important pour vous, alors vous pourriez refuser des opportunités. Ceux qui vivent dans une réalité plus basse que la vôtre, pourraient vous dire « mais c'est de la folie, pourquoi as-tu refusé cette opportunité ? C'était la chance de ta vie, enfin ! »
D'un point de vue cérébral peut-être, mais du point de vue de l'âme et du cœur, c'est un frein.
Car la réelle opportunité qui vient à vous, ne viendra jamais comme vous le croyez.
Cela vient à vous soudainement, ou alors vous avez l'éclair de génie qui vient soudainement. La bonne idée à mettre en place.

Quoiqu'il en soit, quand vous faites l'expérience de la foi, cela passe par des expériences, des épisodes de vie souvent inconfortables. C'est fait exprès, c'est la dualité de votre monde.

Pour affermir votre foi, rien de mieux que de vous mettre en « danger » pour voir si réellement vous faites confiance à l'univers, aux lois de la vie, à Dieu, au hasard, peu importe comment vous l'appelez.
Si réellement vous êtes dans la foi alors vous pouvez avoir des comportements perçus comme de la folie, ou illogiques aux yeux de certains. C'est parce que vous êtes dans une autre vibration, une autre

réalité.

Quand vous suivez les lois de la vie, vos comportements sont « illogiques » par rapport au monde logique et cérébral de vos sociétés. Les lois de la vie sont d'une autre logique.

C'est comme une autre langue avec une autre grammaire.

C'est une façon de penser et d'être qui est différente.

Avoir la foi c'est laisser l'univers mettre les choses en place, les laisser venir à vous et pour qu'elles viennent à vous avec fluidité, l'une des choses que vous avez à faire, c'est gérer votre vibration.

C'est à dire vos pensées, vos émotions, votre corps. Prenez soin de ces trois éléments : tête, cœur, corps. Esprit, émotion, sensation. Pensée, intuition, mouvement.

Prenez soin de vous et de vos ouvertures de conscience.

Prendre soin de sa foi c'est prendre soin de soi.

Plus vous serez dans ce respect de vous-même, de votre corps avec votre alimentation, l'exercice physique approprié, votre rythme de vie, votre lieu de vie, plus la fluidité viendra à vous.

*Vous avez été nombreux à être conditionnés
à vous adapter.*

Vous croyez que c'est à vous de vous plier à votre environnement, aux contraintes extérieures. Vous êtes habitués à obéir à des règles admises qui sont extérieures à vous.

Mais les seules véritables règles à suivre sont les vôtres.

C'est à dire les règles que votre corps vous demande. Ses besoins à lui, ses horaires à lui, son sommeil à lui, sa nourriture bonne pour lui. Chaque corps est différent. Chaque être humain a des besoins différents. Toutes les règles comme : il faut dormir huit heures par nuit, manger des fruits et légumes, marcher trente minutes par jour, etc...

Tous ces poncifs ne vous responsabilisent pas, ne sont pas forcément adaptés à votre réalité corporelle et cela ne répond pas à votre individualité.

Cette uniformisation vous endort et est faite pour vous empêcher d'accéder à votre plein pouvoir, votre plein potentiel.

La seule règle, si nous devions parler de règle
est votre corps.

Votre corps est le temple de la loi.
Votre corps et seulement votre corps.
Et chaque corps est différent.

Écoutez votre corps, partez à sa rencontre, suivez-le, revenez en vous, quittez votre tête et votre dissociation. Revenez à vous et en vous. C'est la meilleure voie que vous puissiez suivre.

Concernant les émotions, deuxième voie importante, là aussi, seules vos émotions vous appartiennent.

Ce que vous vivez, ressentez
est à vous et en vous.

Cela semble évident mais regardez le nombre de fois où vous agissez en fonction du regard des autres.
Combien de fois avez-vous agi pour plaire à l'autre, pour qu'il vous aime ou vous respecte. Pour faire plaisir à votre conjoint, vos amis, votre famille etc...
Vous croyez qu'il faut faire des concessions. Vos choix sont souvent des références extérieures.

La norme, la société, les règles de « comment agir » à l'école ou en entreprise. Être sur les bancs d'école ou être salarié dans une entreprise c'est la même chose.

Vous n'êtes pas libres de vos mouvements. Vous subissez des règles d'horaires, de travail sans fin, vous êtes exploités, vous devez vous tenir à carreau, ne pas montrer vos émotions, vous devez avoir une certaine manière de parler, de vous habiller, de vous tenir.

Sans même vous rendre compte, vous calquez vos comportements sur ceux des autres pour être intégrés, pour y trouver votre place, pour obtenir de la reconnaissance.

Vous êtes de gentils soldats appliquant ce que l'on demande pour pouvoir payer votre loyer et toucher votre salaire.

Il n'y a pas de blâme dans ce que nous disons, c'est juste un constat.

C'est la réalité économique et politique du monde dans lequel vous vivez, mais ce monde est sur la fin.

Une nouvelle ère arrive et nous le développerons au chapitre 17.

Lorsque vous vivez dans une réalité comme celle-ci au quotidien, vous n'êtes plus au contact avec vos émotions profondes et réelles. Vous vivez tel un hologramme.

Vous êtes un pion qui agit par ce qui est régi pour lui. Nous pourrions dire que vous perdez votre âme d'enfant, c'est le cas.

Vous perdez votre spontanéité, votre côté vivant, votre individualité, votre force et vos pleins pouvoirs.

Vous n'êtes plus en contact avec qui vous êtes vraiment.

Alors qu'en renouant avec vos émotions, en prenant le temps de les découvrir, de les ressentir, en prenant le temps de les vivre, vous allez découvrir toute la joie intérieure que cela procure.

Et quand nous disons joie, c'est la joie de se sentir vivant.

Se sentir vivant en pleurant
est source de joie.

La joie de pleurer. Imaginez un être désincarné, qui n'a pas de corps, cet être n'a pas la chance de vivre une émotion et de savoir ce que c'est. Pleurer est aussi bon que rire. Comme la pluie et le beau temps, c'est le conditionnement qui crée un jugement sur ce qui est soi-disant bon ou pas. Il n'y a pas de bonnes ou mauvaises émotions, ce sont des expériences. Et vous avez besoin de les vivre.

Vous avez besoin de vivre vos émotions. Une émotion refoulée ou stagnante est une énergie boueuse. C'est une vibration qui est à l'arrêt.

Nous vous l'avons dit, la vie est en perpétuel mouvement et changement. L'arrêt n'existe pas dans le monde.
À bloquer une énergie ou une émotion, vous êtes contre les lois naturelles. Cela ne fonctionne pas. Une émotion refoulée ou qui n'est pas vécue ou ressentie va chercher à se manifester d'une manière ou d'une autre. L'émotion vit et circule. Si elle n'est pas vécue, elle créera alors des problèmes dans le corps, des douleurs, des problèmes de sommeil, des maladies. Tout ce qui n'est pas vécu est en mouvement et va impacter le corps ou l'esprit. Les trois sont inter-reliés.

Vos émotions influencent votre corps et vos pensées. Votre corps influence vos pensées et vos émotions, vos pensées influencent votre corps et vos émotions. La boucle est bouclée.

Ces trois éléments sont indissociables.

C'est pourquoi plus vous prendrez soin de ces trois éléments, plus la spirale positive pourra se mettre en marche.

Maîtrisez vos pensées, tournez-les vers le positif, ce qui entraînera des émotions positives et ce qui vous donnera de l'énergie et un corps en bonne santé.

Ayez un corps en bonne santé, et vous vous sentirez bien, du coup vous verrez le monde en positif et vous vibrerez des émotions positives.

Faites ce qui vous met en joie, vous serez heureux, vous aurez de l'énergie de joie dans le corps et vos pensées seront claires.

Bref vous avez compris, suivez ce qui vous fait du bien.
Pensez à vous, à ce qui est bon et juste pour vous. Ne vous souciez plus du regard des autres et vous découvrirez que quoi que vous fassiez vous êtes aimés. Car la source de tous vos comportements, c'est l'amour et le besoin de reconnaissance.
Tout ce que vous faites c'est pour être aimés.

Aimez-vous en premier, en prenant soin de vous et vous verrez votre entourage d'un autre œil. Vous verrez que personne ne vous juge en réalité. Tout est miroir.

Ce qui vient de l'autre, vous montre qui vous êtes.
Imaginez que vous trouviez qu'une personne est pleine de jugement et d'autorité contre vous, disant cela n'êtes-vous pas vous-même en train de juger la personne avec autorité ?
Avec n'importe qui et n'importe quelle émotion, ce qui vient d'être dit fonctionne.
C'est celui qui le dit qui l'est, comme disent les enfants.
Ces paroles sont des paroles de sages envoyées pour vous.

Focalisez-vous sur vous, soyez « égoïste » c'est de cette manière que votre véritable générosité s'exprimera.

Par exemple, vous n'êtes pas généreux lorsque vous faites plaisir à votre amoureux en faisant quelque chose que vous ne souhaitez pas. Vous n'êtes pas généreux car vous ne l'êtes pas avec vous-même. La conséquence c'est que vous envoyez une vibration basse à votre conjoint. Et inconsciemment cela va l'impacter vers le bas. Et ne sachant pas que ce que vous faites ne vous convient pas, il le redemandera encore. Alors vous le vivrez à nouveau. Et vous vivrez et vibrerez par le bas mutuellement.
Tout est relié, vous êtes un. Ce que vous faites pour vous, vous le faites pour l'autre.

N'oubliez pas que tout est parfait. Si vous avez à vivre une situation avec une personne, il y a une raison. Une raison pour évoluer et grandir.

Votre âme est là pour cela. Plus vous serez clair avec vous-mêmes et honnête avec les autres, plus vous grandirez. Vous irez dans le bon sens. Même si cela fait peur car vous avez cette peur du regard des autres. Mais ce n'est pas le bon choix.
Ne faites pas les choses si cela ne vous convient pas. Respectez-vous, vous respecterez l'autre.
Et si ce que vous dites n'est pas acceptable pour la personne qui est en face de vous, c'est ok. Vous allez pouvoir grandir mutuellement. Trouvez les fréquentations qui ont la même résonance que vous. Vous êtes suffisamment nombreux sur Terre pour le faire.

En étant pleinement vous-même, vous attirez à vous des personnes qui sont en lien avec votre vibration et cela en attirera encore d'autres.

Comme un raz-de-marée ou un effet boule de neige vous serez alors de plus en plus nombreux à avoir une vibration haute et cela inspirera les autres et ainsi de suite. Alors que si vous n'agissez pas comme il est bon pour vous, vous générerez une vague de vibration négative qui entraîne des énergies basses autour de vous.

Vous êtes une goutte dans l'océan.

Imaginez que votre vibration est une couleur. Vous êtes une goutte d'eau qui colorie l'eau. De quelle couleur voulez-vous voir le bassin d'eau ? Plus vous serez nombreux à vibrer le bleu, plus l'eau le sera. Plus vous serez nombreux à vibrer le marron plus l'eau le sera.

À vous de vous harmoniser pour que le bassin devienne de la couleur de votre choix.

C'est un choix de votre part. Votre responsabilité. Avoir la foi est de l'ordre de la responsabilité. Quelle vie voulez-vous vivre ? Qui voulez-vous être ? Quel exemple souhaitez-vous incarner ?
Faites votre choix et assumez-le. Et gardez la foi en vos rêves, vos objectifs, vos aspirations les plus profondes. Tout est possible. Écrivez-le en grand dans votre esprit. Tout est possible. À vous d'y croire. À vous de vous en donner les moyens. À vous de braver les obstacles et les dérives. À vous de brandir haut et fort vos rêves les plus fous. Parlez-en autour de vous. Assumez vos envies même les plus folles.
En les faisant exister d'abord par la parole vous mettrez en marche la vibration du souhait. Vous vous donnerez l'occasion de voir qu'en réalité vos aides, vos alliés sont là.
Si vous allez à un dîner par exemple et que vous ne parlez pas du sujet qui vous intéresse, vous fermez la porte. Vous ne saurez pas, alors que la personne assise à côté de vous est justement touchée

par votre sujet et votre passion. Alors qu'en allant à ce même dîner et en partageant ce qu'il y a dans votre cœur, vous verrez que l'univers fait bien les choses.

Chaque événement, chaque moment de vie
est comme une graine mise devant vous.

Comme le petit Poucet, nous vous envoyons des graines pour vous montrer le chemin. Mais si vous ne baissez pas la tête pour les voir, vous vous sentirez seuls au monde et coupés de tout. Coupés de la Source. Ouvrez les yeux, ouvrez vos oreilles, ouvrez votre bouche, ouvrez votre cœur. Vos cinq sens sont à disposition pour cela et vous découvrirez que les réponses sont à portée de main. Elles sont là, juste devant vous. Ouvrez les vannes ! Faites confiance ! Souriez et jetez-vous dans la vie, vous découvrirez l'abondance.

Arrêtez de vous restreindre, de vous limiter. Il n'y a pas de limite. Les seules limites sont dans vos têtes et vos perceptions, elles ne sont pas réelles.

Il n'y a pas de limite dans l'espace. Vous vivez dans un espace sans limite. Là où vous êtes, vous reflétez. Vous êtes un être infini.

Dépassez la petite personne que vous vous êtes construite, vous découvrirez un autre monde. Un monde merveilleux fait de joie, de couleurs et d'extase. L'extase de la vie et son expérimentation sans limite.

La vie est un jeu. La vie est une joie.
La vie est en jeu. À vous de jouer.

- III -
La joie

CE QUI VOUS MET EN JOIE EST CE QUI VOUS MET EN MOUVEMENT. C'EST VOTRE MOTEUR.

Suivez la joie et vos envies et votre vie sera pleine d'abondance. La joie est la nature de la vie. Voyez un arbre qui perd ses feuilles, il les perd avec joie. Voyez un soleil qui se lève, il se lève avec joie. Voyez un enfant être, il est avec joie. Tout est joie, la vie est joie.

La joie

L'obstacle majeur à la joie, c'est le jugement.
Le jugement est ce qui vous coupe de la joie. C'est ce qui vous limite
et vous dicte si un comportement est bon ou pas.
Pouvez-vous manger cette glace ou pas ? Allez-vous acheter ces
chaussures, cette voiture ou pas ? Allez-vous dire ce que vous ressentez pour l'autre ou pas ?

**Toutes vos actions découlent d'un choix. Et vous faites vos choix
avec votre tête. Ce n'est pas la référence de l'abondance.**

La vie véritable n'est pas faite de choix, elle est. La vie est.

La seule guidance à suivre c'est votre cœur. Est-ce que cela vous fait plaisir ? Alors faites-le c'est aussi simple que cela. Il n'y a pas de questions à se poser, il n'y a qu'une réponse à avoir. Où est mon plaisir ? Où est ma joie ? Suivez-la.

La vie est un mouvement de joie. Les saisons sont faites de joie, elles sont toutes utiles pour l'ordre des choses. La nature est naturellement joyeuse. Même la mort, cette transformation est joyeuse. Elle laisse la place à d'autres choses. Nous reviendrons plus tard sur cette notion de mort et de ce qu'elle implique réellement. (voir chapitre 13)

La joie est la source.
La joie est la vie.

Si vous voulez être heureux, être vivant et vibrer votre résonance intérieure, vibrez la joie. La joie est votre corps. La joie est la voie et la voix de votre âme. Votre âme chante de bonheur par l'expérience qu'elle vit. Quelle que soit l'expérience que vous vivez, vous la vivez avec joie. Être triste est une joie. La joie d'être triste. Être seul est une joie. La joie de faire l'expérience de la solitude. Être malheureux est une joie. La joie d'expérimenter le malheur.
Nous prenons exprès des exemples antinomiques, pour vous déstabiliser. C'est votre jugement et votre perception des notions de : malheur, solitude, peur, souffrance, mort, doute, manque, fébrilité, maladie, etc qui vous aveugle.

Entendez-nous bien :
Il n'y a pas de bonnes ou mauvaises expériences.
Il n'y pas de bonnes ou mauvaises humeurs.
Il n'y a pas de bonnes ou mauvaises sensations.
Ceci est. C'est tout.

La joie dont nous parlons, n'est pas seulement être joyeux et souriants. Nous parlons d'une vibration plus profonde et intérieure en vous.

Un enfant qui pleure par exemple, pleure pour se faire entendre ou comprendre. Il exprime un besoin. Son être profond, son âme a choisi le canal des pleurs pour communiquer. Cela ne veut pas dire que son âme est triste, c'est juste un moyen d'expression.

En vivant la vie avec cette flamme, cette joie intérieure apportée par la foi, alors toutes les émotions et toutes les expériences sont bonnes.

Si une expérience est trop douloureuse, s'il y a trop de souffrance, alors votre instinct va faire quelque chose : vous faire tomber dans les pommes, vous dissocier de votre corps ou vous faire sortir de votre corps, vous couper de vos émotions etc...

Ce que nous voulons dire c'est que ce n'est qu'à un stade d'expérience suprême de souffrance que l'expérience s'arrête (en apparence). Mais tant que vous êtes vivant, alors la joie est là.

Tant que votre corps fonctionne la joie est là.

En réalité, même quand vous mourrez la joie est là, car votre corps s'arrête mais votre âme, elle, reste et part dans d'autres sphères et d'autres réalités. Mais elle est là, quelque part.

Tout est joie, la Source est joie. La joie est permanence. La joie est. La joie est la source. La joie est énergie. La joie est l'essence même du Grand Tout. C'est une énergie, pas une émotion.

La joie est la source de la vie.

Relisez ce début de chapitre avec ce mot : « La Vie », à la place de « La Joie », vous comprendrez peut-être mieux ce que nous vous disons.

La vie = la joie = la Source = Dieu = l'énergie = la vibration = le Grand Tout

La joie est ce qui fait que le monde existe.

La joie est ce qui fait que vous existez. La joie fait que vous êtes.

Vous êtes joie.

Vous êtes vie.

Vous êtes Source.

Vous êtes Dieu.

Vous êtes énergie.

Vous êtes vibration.

Vous êtes le Grand Tout

Une vie de pleine conscience, telle que nous cheminons depuis le début de ce livre, est faite pour vous ramener à cette énergie profonde. Nous cherchons à vous ramener à vous-mêmes. Nous cherchons à vous reconnecter à qui Vous Êtes Vraiment. Nous cherchons à vous rappeler d'où vous venez ; de la Source.

Au-delà de votre corps physique, vous êtes une énergie, vous êtes joie, vous êtes la vie. Au-delà des émotions que vous vivez, vous êtes vibration, vous êtes cette présence qui est en vous. Cette présence dissociée. Celle qui est, même lorsque vous dormez. Au-delà de vos pensées, il y a une énergie, un fluide de vie qui fait que vous existez. Cette énergie, cette présence qui est au centre de vous, au centre de l'univers, au centre de tout, est la même.

Nous vous souhaitons de goûter en conscience à cette énergie. Vous y êtes déjà. Vous l'êtes à cet instant précis mais vous pouvez l'oublier à cause de vos préoccupations, de vos pensées. Ou vous l'oubliez car l'énergie ne circule pas correctement dans votre corps, vous êtes comme mort.

La qualité de présence à votre corps représente la qualité de présence à ce qui est. Sentez-vous le sang couler dans vos veines ? Sentez-vous l'intérieur de vos muscles ?

Si vous étiez véritablement connecté à qui vous êtes, vous sentiriez ce qui se passe dans votre corps. Nous ne vous demandons pas de sentir la sève couler en vous en permanence, bien que vous le pourriez. Nous voulons juste vous faire comprendre que vous êtes plus que vous ne l'imaginez. Nous voulons vous montrer comme vous êtes déconnecté. Nous voulons vous faire prendre conscience que vous êtes endormi. Nous voulons juste vous montrer la voie qui vous mène à vous-même.

Cette voie, c'est ce qui est, là.
Et ce qui est : c'est la joie.

Lorsque vous atteignez un certain niveau de conscience et de connivence avec vous-mêmes, vous pouvez alors sentir cette vibration de joie en vous. C'est la flamme à l'intérieur de vous qui ne bouge jamais.

Une fois que vous êtes connecté à cela, rien ne peut vous troubler. Même le vent ne ferait pas bouger la flamme de votre cœur. Vous êtes en sécurité. Vous êtes sérénité. Vous êtes.

Atteint ce stade, vous verrez à quel point la vie est fluidité et qu'il ne peut rien vous arriver. Avec la foi dont nous avons parlé au chapitre précédent, vous vibrez l'amour inconditionnel. Vous vibrez la Source. Vous vibrez la vie dans toute sa splendeur. Vous vibrez la joie.
Et pour ce faire, vous avez à revenir à vous. Le chemin est en vous. Le chemin c'est vous. Il n'y a nulle part où aller, il y a à vous trouver, faire la rencontre avec vous-même. C'est le chemin de votre vie. La voie du bonheur. C'est la quiétude qui vous appelle.

La joie est la voie.

Alors au quotidien, suivez votre joie. Suivez vos envies, suivez votre cœur et suivez votre corps. Votre corps est comme un aiguillon. Que ressentez-vous à l'idée de faire telle chose ? Quelle émotion vivez-vous lorsque vous faites, ce que vous faites ?

Prêtez attention à votre corps et vos émotions.
Pas votre tête mais le reste.

Comment se manifeste la joie en vous ? Comme se manifeste l'inspiration en vous ? Quelle est votre boussole intérieure ? C'est elle qui a raison. Votre vie sera à votre image et vous rendra heureux, seulement si vous suivez vos envies. Toutes vos envies sont bonnes. Vos envies, c'est votre âme qui vous souffle le chemin. Ne cherchez pas à comprendre pourquoi vous voulez faire telle chose ou vivre ceci plutôt que cela.

Vous n'avez pas besoin de comprendre ou d'avoir une vision sur le
long terme. Pas besoin de comprendre pour vivre.

Croyez-vous qu'un arbre comprenne pourquoi il perd ses feuilles ? Il le vit c'est tout, car c'est nécessaire.
Une envie est une nécessité. Même basique, chaque nécessité a un sens. Suivez vos sens, ils vous donnent la direction de vos envies. Chaque envie qui vous traverse est une direction à prendre, une guidance pour vous mener là où c'est bon pour vous. Vous serez menés là où vous le souhaitez au plus profond de vous. Vos rêves les plus chers peuvent se réaliser, si vous suivez la joie et ce avec foi.

La foi et la joie
vont indubitablement ensemble.

Ils forment une équipe, ce sont vos alliées. C'est la chimie des deux qui fait que vous allez avoir la bonne vibration.

A partir du moment où vous vibrez la joie et que vous avez foi en sa réalisation, arrive alors l'expérience de l'harmonie. L'harmonie c'est la fluidité de votre essence. C'est l'alignement tête, cœur, corps. C'est ce qui fait que vous êtes profondément vous.

Être vous-même, ce n'est pas si simple dans votre réalité. Vous êtes déconnectés.

Plus vous écouterez vos envies, plus celles-ci vous montreront qui Vous Êtes Vraiment. Encore une fois, une envie véritable ne vient pas du mental. Elle vient d'une nécessité de votre corps. C'est un fluide émotionnel, une source d'énergie et de joie.

Nombreuses sont vos envies qui viennent de votre tête, de vos habitudes, de votre éducation, de vos civilisations.

Vous pouvez croire que vous avez envie de cette voiture, de cette coupe de cheveux, de cette glace au chocolat, de ce verre de vin.

Mais quelle est la véritable envie qui se cache derrière ? Quelle est la source de votre envie ?

Est-ce pour combler un manque ? Plaire à l'autre ? Pour avoir la même valeur qu'un autre être. Est-ce pour vous comparer ? Vous donner de la valeur ? Vous réconcilier avec les autres ?

Quelle que soit la raison, il n'y a pas de jugement à avoir. Cela vous montre juste votre vibration et la source de ce que vous vibrez

Si vous désirez cette voiture juste pour faire comme le voisin, alors vous ferez l'expérience d'être comme le voisin, mais est-ce que cela vous rendra heureux ? Est-ce que cela nourrit votre âme ? Est-ce que cela répond à un appel profond ou juste à votre égo ?

Quelle que soit la réponse, ceci est un processus. C'est un chemin. Il vous montre où vous en êtes.

Plus vous irez en profondeur et en conscience à la rencontre de l'appel de votre âme, de votre être profond, plus vous goûterez à la joie profonde d'être qui vous êtes.

Vous découvrirez que la vie peut vous offrir ce à quoi vous aspirez, même au-delà de ce que vous pouvez imaginer. Vous découvrirez l'abondance et la joie profonde et imperturbable d'une vie sans crainte, sans manque ou sans souffrance.
Cela ne veut pas dire que vous aurez une vie paradisiaque sans effort, sans devoir travailler, avancer ou cheminer encore en conscience. N'oubliez pas que la vie est un perpétuel mouvement.
Cela ne veut pas dire que vous ne rencontrerez pas d'obstacles, des ruptures, des changements, des remises en cause...
Cela veut juste dire que vous vivrez la vie avec cette quiétude intérieure. Vous vibrerez l'abondance de la sérénité. Vous vibrerez le plein, et en vibrant le plein vous attirez à vous le plein.
C'est une spirale positive.

La nature et la source de ce que vous vibrez est ce que vous vivez et attirez à vous.

C'est pourquoi, plus vous serez connectés à votre joie intérieure, à votre source de vie, plus votre vie sera joyeuse, abondante et alignée à qui vous êtes.
Pour arriver à cela, vous avez à dépasser vos peurs, vos limites, vos habitudes. Il y a un déconditionnement à vivre et à s'autoriser. C'est en faisant l'expérience de ce que vous n'êtes pas que vous pouvez devenir qui vous êtes.
Votre monde est un monde de dualité.
C'est le chemin qui est prévu. Vous grandissez dans une famille, un niveau social, une éducation qui au départ vous limitent autant qu'ils vous donnent vos forces les plus grandes.

Lorsque vous grandissez, vous développez des croyances à votre propos, à propos du monde. Vous vous forgez un regard sur les choses. Ce sont ces perceptions qui régissent tous vos comportements, vos choix et votre façon de vivre.

C'est votre inconscient qui vous mène, vos valeurs et vos croyances. Par croyance nous entendons une conviction profonde de quelque chose, comme une vérité.

Par exemple vous pouvez être convaincu que vous retomberez toujours sur vos pattes. Vous pouvez être convaincu que les choses arrivent avec de l'effort. Ou vous êtes convaincu que vous n'êtes pas capable de prendre la parole, vous vous définissez comme timides. Vous êtes intimement convaincu que vous n'êtes pas désirable et que c'est impossible qu'une personne vous désire. Vous croyez que dans la vie on ne réalise pas ses rêves et qu'on ne fait pas toujours ce que l'on veut. Vous croyez qu'il faut toujours que les autres soient prioritaires par rapport à vous, que c'est cela aimer.

Quelles que soient vos croyances, vos convictions, positives ou non, elles vous guident intrinsèquement.

Si vous souhaitez être pleinement libre et avoir votre libre-arbitre, vous avez à dépasser et transformer vos croyances les plus profondes. La source vient souvent de vos parents. Si vous avez été adopté les croyances viennent à la fois de vos parents géniteurs et aussi de ceux qui vous ont éduqué.

Enfant vous interprétez des expériences et vous en faites des vérités générales. Ce sont celles-ci qui vous mènent.

Chaque être humain a d'abord comme un reproche vis-à-vis de ses parents. Il y a toujours un frein qui vient vous empêcher de vous réaliser pleinement. Ceci est voulu. C'est pour vous pousser à cheminer vers vous.

Si vous voulez pleinement vous réaliser, il y a forcément des changements de croyances à faire.

C'est comme la chenille qui se transforme en papillon. La chrysalide représente les parents. C'est parce que le papillon se débat pour transcender la chrysalide, qu'il obtient assez de force et de volonté pour s'envoler. Une vie faite d'envol vers vous-même demande du courage, de la volonté, de la persévérance, de l'amour pour soi, et donc de la joie et la foi.

Cela fait partie du chemin de la réalisation. Pour aller vers votre lumière, enlevez d'abord vos couches sombres qui vous cachent.

C'est pour cela que nous disons que vous avez choisi vos parents, bien avant votre incarnation. Votre famille sert de guide et de point de départ. Vos familles servent votre âme à évoluer.
Si vous avez comme chemin d'incarnation la découverte de l'amour véritable, vous allez d'abord faire l'expérience inverse. Si vous avez à développer la bonté, vous allez vivre des situations qui vous font vivre l'inverse. Il y a toujours un cadeau caché. Votre âme le sait, c'est pourquoi même si le chemin est fait d'embûches, d'obstacles, de déception, de lutte, de tristesse, de douleur, votre âme, elle, le vit avec joie. S'il n'y avait pas la joie alors vous ne seriez pas. C'est le chemin de la vie et de la réalisation.

Tel un héros, vous avez un chemin à suivre, des obstacles à dépasser et ces obstacles sont en vous-mêmes. L'obstacle est vous-mêmes.

Alors comme dans la vie tout est miroir, vous allez dans un premier temps voir les obstacles à l'extérieur, dans ce qui vous entoure. Vous allez d'abord croire que c'est la faute aux autres, la faute aux circonstances, la faute aux aléas de la vie. Mais en réalité ce qui se passe autour de vous, c'est ce qui se passe en vous. Cette notion est très importante.

Entendez bien cela : ce qui se passe autour de vous, c'est ce qui se passe en vous.

Ce que vous admirez chez l'autre, est une qualité que vous avez en vous mais que vous ne développez peut-être pas assez. Ce qui vous agace chez l'autre, est un comportement qui vous agace chez vous. Tout est miroir.

Ce que vous voyez est fait pour vous montrer qui vous êtes.
Tout ce que vous voyez est en fait un miroir.

Tout est miroir.

Vous ne voyez pas la réalité telle qu'elle est. Vous la voyez tel que vous êtes. Ce que vous voyez en dehors de vous, sert à vous montrer ce qu'il y a en vous.

Cette conscience-là est un changement de paradigme. Si vous arrivez à voir la vie sous cet angle, alors vous commencerez à prendre la pleine responsabilité de vous-mêmes et de votre vie.

Vous comprenez alors que vous êtes maître de votre vie, de ce qui se passe autour de vous. Vous comprenez que vous êtes le créateur. Vous n'êtes plus dans les reproches, dans le « c'est la faute aux autres », mais vous voyez au contraire ce qui se trame en vous.

Si vous le voyez, alors vous pouvez le faire évoluer, le vivre en conscience, l'accepter ou le transformer. Ce que vous faites de cela vous appartient. La voie à suivre est : où est votre joie ? Si vous sentez une limite ou une peur qui vous empêche de vivre pleinement votre joie, alors transformez cette peur, cette limite qui est en vous.

En atteignant cette conscience vous vibrez le pouvoir créateur. Vous devenez un être conscient. Vous devenez un être de lumière qui œuvre pour son bien-être et qui montre la voie pour les autres.

En étant dans cette conscience, vous arrivez à un stade où la création de votre réalité devient un jeu. Vous êtes en plein pouvoir de vos capacités. Vous êtes connectés à votre source, au dieu qui est en vous. Vous êtes alors joie.

Vous voyez chaque instant de la vie comme une opportunité d'évoluer, de grandir, d'avancer et de vous rapprocher de vos objectifs.

Pour atteindre un objectif, pour réaliser un rêve, la première voie n'est pas seulement l'action vers l'extérieur. C'est avant tout vers l'intérieur. Travaillez sur vous-mêmes et vous travaillerez votre réalité.

Pour que vous puissiez voir autour de vous ce à quoi vous aspirez, vous devez travailler sur vous, vos croyances, vos perceptions.

Est-ce que vous pensez réellement qu'il est possible pour vous de vivre telle ou telle chose ?
Si vous avez la moindre limite, le moindre frein dans vos perceptions inconscientes alors ce à quoi vous aspirez mettra du temps à arriver dans votre réalité. Toute croyance limitante est un frein à la réalisation. Une distance entre ce qui est et vous-mêmes.
Toutes les limites inconscientes, sont des limites à la rencontre de vous-même. Toutes vos limites internes empêchent que les choses se réalisent car vous vibrez la limitation. Nous allons entrer en détail dans le chapitre suivant sur la vibration.

Ce que vous pensez inconsciemment, ce que votre corps porte en lui, c'est cela qui vibre et montre à l'univers ce que vous êtes et où vous en êtes. Votre réalité est intimement liée à ce que vous êtes. Vous êtes votre réalité.

Plus vous aurez une perception aiguë de qui vous êtes, de ce que votre corps porte comme mémoires (mémoires sensorielles de cette vie, mémoires cellulaires, mémoire familiale, mémoires karmiques...) plus vous aurez conscience de ce que vous vibrez et de ce que vous vous autorisez à vivre.

Être dans le centre de la joie, dans cette énergie, c'est avoir une capacité de recul pour vous observer. C'est une manière de vous dissocier de vos ressentis, de vos comportements, de vos pensées.

Cela ne veut pas dire que vous ne ressentez plus les émotions ou que vous ne pensez plus, c'est juste que vous avez un recul. Une position neutre, comme observateur de ce que vous vivez dans la matrice.

Cette posture de recul permet d'avoir conscience de ce qui se passe. Vous êtes alors observateurs et acteurs. C'est seulement en étant observateurs dans un premier temps que vous pouvez devenir acteurs de votre vie et créateurs de votre réalité. Il y a un équilibre entre l'action, la perception, la réflexion et l'intuition pour être un maître de sa vie et de qui vous êtes.

Car ce dont nous parlons ici est le but prioritaire : qui souhaitez-vous être ? Quelle vibration souhaitez-vous vivre ?

Les actions, ce que vous mettez en place ne sont qu'un moyen de devenir. Le but n'est pas ce que vous faites mais Qui vous êtes.

Faire telle activité ou tel métier pour vous permettre d'être qui ? De vibrer quoi ? Ce qui compte c'est l'expérience que vous faites. Certaines personnes ont des métiers pour l'image que cela donne. Elles se donnent une valeur par l'étiquette professionnelle, mais quelle expérience vivent-elles au quotidien ? Est-ce que cela nourrit leur âme ?

Une vie faite de joie, d'abondance et de foi
est une vie qui est alignée à votre âme.

Vous êtes qui vous devez être et la forme importe peu. Par forme nous entendons que, par exemple, si vous voulez vibrer la générosité et le partage, vous voulez être cela. Quelles activités vous permettent de le vivre ? Qu'est-ce que cela sous-entend ? De quoi avez-vous besoin pour être et vivre le partage et la générosité ?
En répondant à cela vous avez alors une vision nouvelle et différente d'un métier par exemple.

La question n'est plus quelle compétence avoir, ou quoi faire professionnellement mais bien plutôt qui être professionnellement.

Nous parlons du professionnel mais cela s'applique dans tous vos domaines de vie, amical, familial, vos passions etc...

C'est votre être qui compte,
pas ce que vous faites ou ce que vous avez.

Qui voulez-vous être ? Quel être vous met en joie ? Que voulez-vous vivre au quotidien ?
En répondant à cela et en prenant le temps de le découvrir cela vous amènera forcément vers votre alignement, votre chemin de vie, votre but d'incarnation.
C'est le chemin de votre vie de toute façon, que vous le fassiez en conscience ou non. Mais pour que les choses se manifestent plus

rapidement, la conscience est importante. C'est votre conscience des choses qui les rend réelles.

Soyez conscients de vous et vous serez conscients de votre réalité.

Soyez conscients de vous-même et de qui vous êtes, alors vous serez maître de votre vibration. Étant maître de votre vibration, vous créez alors votre réalité. Créant votre réalité, vous manifestez dans le réel ce que vous souhaitez vivre. Et créant ce que vous souhaitez vivre, vous êtes alors un être heureux, en harmonie avec lui-même.

Être heureux, c'est être soi-même. Être heureux c'est vibrer ce que votre âme souhaite. Être heureux c'est être en connexion avec votre âme et ce qu'elle a besoin de vivre pour évoluer. Être heureux c'est être aligné avec soi. Être heureux c'est vibrer ce que vous êtes au plus profond de vous. Être heureux c'est oser dire et affirmer ce que vous ressentez réellement. Être heureux c'est ressentir vos émotions dans l'instant. Laissez faire ce qui est en vous. Être heureux c'est lâcher le contrôle, c'est accueillir ce qui vient. Être heureux c'est suivre votre mouvement intérieur. Être heureux c'est découvrir ce qui est au fond de vous, accueillir la vérité de l'instant qui n'est pas forcément ce que votre mental avait prévu.

Restez curieux et ouverts à ce qui peut se manifester à vous. Soyez le jeu du je. Laissez la vie passer à travers vous, laissez-vous découvrir et suivez le mouvement. La joie c'est de ne pas vouloir mais recevoir.

Être heureux, c'est suivre cette joie que quelque chose de plus grand est en marche. Être heureux et dans la joie c'est découvrir que vous êtes plus que vous ne l'imaginez. Vous êtes au-delà de votre corps, au-delà de vos limites mentales, au-delà des émotions qui vous traversent. Être heureux c'est être dans la joie de laisser les choses se faire, comme un arbre se laisse perdre des feuilles ou se laisse pousser des fleurs. L'arbre laisse la vie le traverser.

Ce bonheur spirituel dont nous parlons, c'est cela.

C'est ce que vous faites lorsque vous êtes enfants, dans ces moments là vous ne vous posez pas toutes ces questions.

Libérez-vous de vos « responsabilités ». Laissez-vous être, laissez-vous vivre, faites-vous du bien.

La joie c'est aussi aimer ce qui vient. C'est s'aimer soi-même.

Vous passez trop de temps à vouloir être autres que ce que vous êtes. Vous vous donnez des rôles, des postures, des images de vous-mêmes qui vous éloignent de la Source.

Laissez-vous surprendre, votre vie n'est peut-être pas celle que vous vous imaginez. Elle est souvent bien plus.

Si vous lâchez votre mental et votre égo, vous découvrirez que l'univers et votre âme sont plus généreux que vous ne l'imaginez.

Aimer. Joie. Vibrer. Foi.
Voilà les maîtres mots qui peuvent vous guider.

Laissez-vous guider par votre joie et votre cœur. Ne cherchez pas à comprendre et à maîtriser. Laissez-vous traverser par la vie. La vie se vit, elle ne se contrôle pas.

Lorsque vous « contrôlez » la vie vous êtes dans le forcing. Bien sûr vous pouvez atteindre vos objectifs en « contrôlant » mais est-ce que cela vous met en joie ? Une fois l'objectif atteint que se passe-t-il ? Vous êtes déçu car il est atteint et vous en cherchez alors un autre à atteindre, ce schéma est sans fin.

La joie dont nous parlons, ce bonheur que nous éveillons en vous est autre. C'est un bien-être intérieur, une paix avec soi. Un pardon fait à soi-même.

Ne cherchez plus à courir derrière des ambitions et des objectifs, laissez-les venir à vous. Laissez la vie vous guider. Laissez les opportunités venir à vous, laissez les cadeaux vous être envoyés.

Pour recevoir cela,
vibrez le plein, la joie et la foi et alors
un monde merveilleux s'offre à vous.

- IV -
La vibration

LA VIBRATION C'EST LE CHAMP MAGNÉTIQUE QUE VOUS ENVOYEZ À L'UNIVERS.

Dit autrement, la vibration c'est l'énergie, la fréquence que vous émettez.
Pour vous faire une métaphore, c'est comme si votre humeur, vos pensées et vos actions envoyaient de la couleur.

La vibration

Imaginez un rond qui se dégage de votre corps, comme votre aura. Votre rond peut être de différentes couleurs selon ce que vous vivez intérieurement. La vibration, c'est la couleur que vous envoyez et montrez au monde.

Ce que vous vibrez c'est de la couleur. Dès que l'univers voit votre couleur, cela attire d'autres couleurs similaires à la vôtre. Et cela crée votre réalité.

Vivez-vous une vie bleue, rouge, orange ou multicolore ?
Ceci est une métaphore.

Ce que nous voulons dire c'est que la fréquence que vous émettez à l'univers vous envoie des événements de la même fréquence. Vous faites l'expérience de ce que vous émettez.

Si vous avez des doutes, vous vibrez et vivez le doute.
Si vous êtes joyeux et abondants, vous vibrez et vivez la joie.

La vie que vous vivez
est en lien direct avec votre vibration.

Et cela dépend de ce que vous pensez, ressentez et faites. Quand nous parlons de pensées, ce sont aussi vos pensées inconscientes. Quand nous parlons de ressentis c'est aussi en lien avec vos mémoires cellulaires. Et enfin lorsque nous parlons d'actions, ce sont vos actes dans le présent, le passé et le futur. C'est ce que vous incarnez.

La fréquence vibratoire que vous émettez est un champ qui englobe un tout. Vous pouvez agir dessus en étant à l'écoute de vos émotions, de vos pensées et en observant vos actions.

C'est un alignement tête, cœur, corps qui envoie un message clair à l'univers. Si vous vibrez un bleu franc, l'univers comprend votre demande et vous le renforce. Si vous voulez du bleu mais qu'en vous vibre un doute de couleur orange, vous attirez alors à vous du marron. C'est ce qui donne les déceptions. Les personnes qui se disent : « À moi, il n'arrive rien de bon, je n'obtiens jamais ce que je désire. » C'est tout simplement parce que ces personnes ont un désir, mais inconsciemment une croyance vient limiter ce désir.
Par exemple, vous rêvez d'impacter le monde, de délivrer un message aux personnes qui vous entourent mais intérieurement vous vous dites « Oui mais que vont-elles en penser ? Qui suis-je pour

délivrer un tel message ? Je suis timide, jamais on n'entendra ce que je veux dire ou le fond de ma pensée. » Comme vous n'êtes pas au clair avec vous-même, vous n'êtes pas au clair avec l'univers. Vous attirez à vous alors des situations qui viennent confirmer qu'effectivement vous êtes timide, ou que l'on ne vous comprend pas...
C'est simplement parce que vous êtes créateurs de votre réalité.

La seule chose qui fait qu'une chose devient possible c'est le fait d'y croire, d'avoir confiance en vous et en vos capacités pour le vivre.

Si par exemple vous désirez être riche mais qu'au fond de vous, vous croyez que l'argent est sale. Ou que vous ne méritez pas de réussir. Ou qu'il faut du temps et des efforts pour gagner de l'argent. Ou que c'est la crise, que jamais personne n'achètera votre produit à un prix trop élevé. Et bien vous aurez des comportements qui découlent de cela, de vos croyances.
Votre inconscient et votre corps envoient des signaux à l'univers dont vous n'avez pas forcément conscience. C'est pour cela que vous ne vivez pas exactement ce que vous souhaitez.

Plus vous vous focaliserez sur ce que vous voulez et libérerez votre corps et vos émotions des parasites énergétiques, plus vite vous verrez vos rêves se réaliser.

Tout est possible dans l'univers. Tout peut être créé. Les seules limites existantes sont celles que vous vous mettez.

Avoir la bonne vibration,
c'est avoir la bonne fréquence.

Votre travail consiste à devenir maître de vos fréquences.

C'est pourquoi, il est important d'être conscient de ses pensées en permanence.
Soyez conscients de ce que vous vibrez à tous les niveaux.

En étant dans une élévation de conscience telle, vous allez découvrir que vous pouvez manifester à vous le plus rapidement possible les opportunités, les événements, les rencontres pour obtenir ce que vous souhaitez.

La vibration ; c'est votre cœur qui bat. Il bat pour quoi ? Il bat dans la peur, dans la joie ou l'amour ? Bat-il avec la confiance que tout va arriver pour le mieux ou bat-il avec le doute, la peur de manquer, la peur des obstacles ?
La première étape pour vibrer la bonne chose c'est de maîtriser vos pensées. Le mieux est même de ne plus avoir de pensées. Faites taire votre mental. Visualisez vos souhaits, ressentez-les dans votre corps, en étant convaincu qu'ils sont déjà réalisés, ainsi vos comportements seront ceux du « vous » réalisé.
Si vous faites « comme si » c'était fait et bien vous envoyez une couleur claire à l'univers. Vous incarnez votre désir, vous le vibrez déjà et quelque part vous le vivez déjà. Plus vous serez comme vous seriez, une fois votre désir atteint, plus vous le vivrez.

En réalité la question à avoir pour chaque désir est : qu'est-ce que vous voulez être en vivant ce rêve ? Que voulez-vous ressentir ?

Rien ne vous empêche de déjà le ressentir et de l'être en attendant qu'il se matérialise.

Voyez-vous votre pouvoir créateur ? Vous croyez que c'est l'extérieur qui va vous permettre d'être heureux. Mais c'est en étant déjà heureux que vous attirez à vous, votre bonheur.

C'est vous qui êtes. C'est vous le maître. Une fois cela compris, peu importe ce que vous faites. Ce qui compte c'est l'expérience que vous faites. Si vous vous mettez en mode « heureux » par vous-mêmes, l'atteinte de votre objectif, ou la durée pour le faire importe peu. Vous vibrez déjà le résultat sur le chemin qui vous y mène.

Imaginez qu'un enfant rêve d'être footballeur professionnel. C'est en jouant au ballon, en faisant comme s'il était déjà un joueur pro qu'il s'amuse et prend son pied. Ce qui le met en joie c'est de courir derrière ce ballon, de faire ces figures, de s'amuser avec les autres. A-t-il réellement besoin du stade rempli de supporteurs et d'obtenir son chèque ? Ce sont des bonus extérieurs. Le plus important est la joie du joueur au foot et ce, quel que soit son niveau.

Faites ce que vous aimez et peu importe comment vous le faites. Faites-le. Vivez-le et vibrez-le. Vous aurez plus de chances d'atteindre votre objectif en passant à l'action plutôt qu'à attendre que tout soit parfait ou que vous ayez le niveau que vous souhaitez atteindre.

Vous voulez être riches pour quelles raisons ? Pour faire quoi ? Pour ressentir quoi ? Qui voulez-vous devenir ?

Voulez-vous vous sentir libre ? Qu'avez-vous besoin pour être libre ? Des pensées et une perception intérieure de liberté. La liberté est en vous, elle vous appartient car c'est vous qui la créez. Elle se crée d'abord dans votre tête. Vos perceptions créent vos réactions et cela crée votre rapport à la vie. La vie n'est qu'un rapport aux choses. Une réaction.

Vous payez l'addition en vous disant « Oh, non c'est cher, je vibre le manque. Ou en vous disant merci pour ce que je me suis offert, cet argent a servi à cela, je vibre le plein et je sais qu'une autre somme arrivera à moi. »

Ce que vous vibrez,
vous le créez instantanément.

Ce que vous vibrez, c'est ce que vous ressentez. C'est pourquoi nous parlons de votre cœur. Quelle émotion vive, vivez-vous ? Que ressentez-vous à l'égard de vos objectifs ?

Soyez limpides dans l'émotion véhiculée par toute idée, car ce que vous ressentez, c'est ce que vous vivez, ce que vous vibrez et donc ce que vous demandez à l'univers. Plus vous serez alignés, tête, cœur, corps, plus vous vibrerez la bonne fréquence.

La vibration impacte ce qui vous entoure. Vous impactez votre entourage et le monde entier. Ce que vous envoyez comme vibration ou comme couleur, influence forcément ce qu'il y a autour de vous.

Si vous vibrez l'amour, vous envoyez des particules d'amour dans votre monde. Si vous vibrez la colère, la haine, la guerre, ceci est une vague énergétique qui tel un tsunami peut embarquer tout être humain, tout animal ou plante dans cette vibration.

Vos médias les plus diffusés savent très bien cela. Ils vous envoient une vibration de peur pour garder le pouvoir et le contrôle sur vous. Ils n'ont pas intérêt à ce que vous vibriez de bonnes fréquences.

Vibrer de bonnes fréquences, c'est vibrer des fréquences d'amour, de joie, d'abondance, de générosité, de partage, de sourire, de jeu, d'humour, ludiques, d'entraide... Ces fréquences apportent du bien-être et cela véhicule le fait qu'il y a de la place pour tout le monde sur Terre, que l'abondance est infinie. Ceci détruit la notion de pouvoir, de territoire, d'argent dans le sens de prendre aux autres et non de donner aux autres.

Si vous êtes dans la bonne fréquence, le monde économique tel qu'il existe aujourd'hui ne pourrait avoir lieu.

Ceux qui dirigent votre monde, votre planète ne veulent pas votre bien. Ils se nourrissent de votre côté écervelé, petit mouton bien sage qui ne réfléchit pas et ne prend pas son envol. Le monde politique aime la masse et non l'individualité. Le monde politique n'aime pas le plein pouvoir de l'individu. Il n'aime pas le rapport d'égal à égal. Le monde politique est un rapport de force, de pouvoir, de contrôle des masses et ils cherchent à vous endormir. Tout est fait pour cela. Toute votre façon de vivre est une façon endormie. Nous sommes rentre-dedans, nous faisons exprès d'avoir des propos durs et violents à votre égard car vous êtes endormis pour la majorité.

Même si vous vous éveillez en conscience, même si vous comprenez que l'amour est ce qui peut et devrait mener le monde, vos comportements ne sont pas encore tout à fait alignés à cela.

Il y a encore du nettoyage à faire. La route est encore longue mais vous commencez à être sur la voie. Le travail est déjà enclenché et c'est pour cela que ce livre existe. Pour créer un électrochoc, pour réactiver vos cellules et vos mémoires. Vous êtes et nous sommes en situation d'urgence. Il est temps que le monde change, il est en train de changer. Mais nous n'avons plus beaucoup de temps.

Alors debout, levez-vous et agissez comme il se doit.

Vibrez la bonne fréquence. Pour que le monde évolue et que vous puissiez cheminer à votre poste, le chemin comme nous vous le disons depuis le début est intérieur.

Occupez-vous de vous. De vos envies, de votre âme, de vos maîtres spirituels. Ils sont là pour vous guider. Revenez à ce qui est au fond de vous. Revenez à cette part belle, spirituelle, éveillée, aimante et qui vibre haut. Allez à la rencontre de la meilleure version de vous-mêmes.

Dépassez toutes vos peurs et suivez les principes et conseils que nous vous envoyons. À votre rythme, en conscience et avec constance, allez-y et faites le chemin. Celui-ci est bon pour vous et pour le bien de tous, même au-delà de ce que vous connaissez.

Ce que vous vibrez impacte la vibration de la Terre et ceci impacte votre galaxie et les univers parallèles. Tout est interrelié. Nous avons besoin de vous, comme vous avez besoin de nous. Sinon, nous courons à la catastrophe.

Il est temps.

Vibrez la bonne fréquence, celle qui est juste pour vous. Ceci revient à être libres, heureux et aimants. Vous êtes des aimants, dans les deux sens du terme. Dans le sens de l'amour et dans le sens que vous attirez à vous le champ que vous émettez.
Quel aimant souhaitez-vous être ?

Voulez-vous aimer l'égo, le pouvoir, le rapport de force, la lutte, la maladie, la guerre, la consommation, la destruction de Gaïa ? Voulez-vous aimer l'amour, la joie, l'harmonie, le lien avec le grand tout, la Source ?

Ce que vous aimez est ce que vous vibrez
et ce que vous attirez.

Qu'est-ce que votre cœur véritable aime ?

Allez au-delà de l'égo. Allez à la rencontre de votre cœur et de vos émotions. C'est votre cœur et votre émotion qui sont à la source de la vibration. Votre émotion est ce que vous vivez. Vous faites l'expérience d'émotions.

Pourquoi croyez-vous que dans votre monde actuel vous êtes dans le mental ? Tout est fait pour vous couper de vos émotions : la télévision, internet, les réseaux sociaux, les téléphones, les écrans, les ondes, les codes sociaux, les façons d'être qui sont soi-disant dans la norme du bien élevé. Tout votre système, contrôlé par quelques individus, veut vous couper de vos émotions et de qui Vous Êtes Vraiment. Ce système vous coupe de votre humanité.

Nous développerons la réalité de votre monde au chapitre 15.

Si vous êtes déconnectés c'est pour vous mener vers le chemin de la reconnexion. Il n'a jamais été aussi urgent de vivre cette reconnexion. C'est pourquoi cette ère est extraordinaire car elle va permettre à la planète Terre de changer de conscience et de vibration.

Revenez à vous. Revenez à votre cœur. Revenez à votre vibration la plus belle qu'elle soit. Ce qui est au fond de vous est votre part la plus belle, c'est votre âme.

Votre âme connaît la voie et le chemin. Votre âme connaît la marche à suivre.

Suivez votre âme, votre cœur et vos envies. Libérez-vous des limites inconscientes et du voile que vous portez autour de vous.

Ce chemin est infini, jusqu'à la fin de votre vie Terrestre vous serez en route vers cette quête de libération. Et cette quête, c'est la quête du bonheur. Car c'est le bonheur qui vous mène à votre âme. C'est le bonheur qui vous élève dans la bonne vibration. C'est votre bonheur qui élève la vibration de Gaïa.

Votre bonheur est la voie.

La seule chose à faire est d'être heureux, c'est une belle nouvelle, non ? Posez l'intention d'être heureux dès maintenant. Posez une intention, faites une prière, posez un choix ou un rêve dans votre tête, cela revient à vibrer votre demande.Vous attirez à vous vos souhaits.

Posez l'intention d'être la Meilleure Version de Vous-Même. Posez l'intention de laisser votre âme aux commandes. Posez l'intention de laisser venir ce qui doit être et qui ne sera peut-être pas ce que vous pensiez au départ.

La forme que peuvent prendre les choses dans votre réalité n'est pas forcément celle que vous imaginez.

Laissez la vie prendre la forme qu'elle doit prendre. Suivez la voie de la joie et de l'amour. Suivez la chaleur de votre cœur, vivez cela comme un jeu. Lâchez vos pensées présomptueuses de savoir ce qui est bon pour vous.

Vous ne le savez pas forcément.

Vous ne pouvez pas le savoir car votre esprit, votre mental et votre réalité sont trop petits. Vous ne pouvez imaginer la réalité que peut prendre votre vie. Vous ne pouvez pas imaginer les êtres que vous pouvez devenir. Vous pouvez être au-delà de vos espérances.

Soyez-en convaincus.
C'est en cela que la foi est importante.

Si vous posez l'intention que le meilleur vient à vous sans vous soucier de la forme que cela prendra, alors vous serez dans la joie de découvrir l'inconnu.

En vibrant cette joie, la joie vient à vous. Et tel un jeu, vous laissez la vie définir le rôle que vous avez à jouer dans cette partie de jeu. La vie est un jeu.

Plus vous laisserez la vie et l'univers décider pour vous, plus vous serez surpris de découvrir que vous méritez le meilleur. Laissez la vie prendre les choses en main ; c'est laisser votre âme vous guider.

Votre âme voit plus loin que votre bout du nez. Votre âme voit plus loin que vous. La vie est plus merveilleuse, plus généreuse que vous ne pouvez l'être avec vous-mêmes.

De par les limites que vous vivez dans un premier temps avec vos croyances, vos perceptions erronées et limitées, vous ne pouvez voir le grand tout qui s'offre à vous.

Vous ne pouvez voir le grand tout qui est en vous. Vous êtes un être infini. Il y a une infinité de possibilités dans votre vie. Vous pouvez vivre plusieurs vies en une seule. C'est plus riche que vous ne l'imaginez et tout le monde y a droit.

Tout le monde peut être heureux.

Tout le monde peut vivre l'abondance. Tout le monde a le droit de vivre l'amour inconditionnel. Vous y avez tous accès. C'est juste que la porte est fermée de votre côté par ce conditionnement dans lequel vous vivez. Dès que vous ouvrez cette porte alors des miracles peuvent arriver.

C'est quand la porte s'ouvre que des personnes disent qu'elles ne pouvaient imaginer qu'il leur arrive quelque chose de cet ordre. Un rêve se réalise, des dons apparaissent. De la pauvreté vous passez à l'abondance financière. Après un accident grave où vous frôlez la mort, peut apparaître ensuite, une nouvelle vision de la vie. Chaque être humain vit cela à son échelle et d'une manière ou d'une autre. Tout dépend le degré d'ouverture qu'a votre porte pour laisser passer la lumière. Laisser la lumière de la vie prendre les rênes de votre vie. Laissez-vous surprendre. Soyez ouverts, réceptifs, amusés et avec une certaine distance face à cela.

Restez centrés dans votre joie et votre foi, vous vibrerez alors ce qu'il faut pour que l'univers entende que la porte est ouverte.

Vous pouvez réciter cette prière chaque jour :

« Je demande à l'univers, aux guides, à la Source,
à mon âme (choisissez ce qui vous parle le mieux
du moment que vous le dites avec le cœur) de me guider
vers la voie du bonheur, de la joie et de la foi.
Je me laisse traverser par la vie et
j'accueille tous les cadeaux offerts sur ma route et mon chemin.
Je laisse mon mental se taire
pour laisser la place aux surprises de la vie.
Et j'accepte que quels que soient les événements,
ceux-ci ont une raison d'être que je ne perçois
pas forcément dans un premier temps.
J'accepte de me laisser surprendre et traverser
par quelque chose de plus grand que moi
et que ma vie soit faite d'abondance et de bonté
et de joie bien au-delà de ce que j'imagine.
Amen »

Relisez cela pendant au moins vingt et un jour minimum. Affichez-le au mur, parlez-en autour de vous, partagez-le, redistribuez-le et le monde évoluera vers un monde meilleur.

Ce que vous recevez doit être redistribué. Nous l'avons dit, la vie n'est que changement et mouvement énergétique. Toute énergie qui stagne n'est pas bonne et devient boueuse. Lorsque vous vivez quelque chose ou recevez quelque chose, ce doit doit être dans un mouvement permanent. Redistribuez au monde ce que vous vivez. C'est pourquoi le monde matériel a besoin d'être en mouvement. Les objets ont besoin d'être déplacés, toute énergie doit vivre et se déplacer. L'argent aussi, l'amour aussi. Tout est mouvement.
la croyance d'avoir quelque chose et de l'avoir à vie, est fausse. C'est

une fausse manière de se rassurer. Laissez vivre et bouger les choses. Il n'est pas forcément bon de garder la même maison à vie. Ce qui est passé est passé.

Chaque chose a un temps et un ordre juste, laissez partir ce qui doit partir : une relation, une maison, un projet, une fréquentation, un sport, n'importe quoi.

Tout ce qui est, est pour un temps.

Laissez évoluer et se transformer les choses.
Ceci influence votre vibration. Si vous avez trop d'énergies stagnantes, c'est un poids et cela influence et abaisse votre vibration. Cela abaisse et influence le monde entier. Vous êtes des êtres libres, en éternel mouvement. Vous savez au fond de vous ce qui doit être jeté, transformé, déplacé, arrêté et redistribué. C'est une danse avec la vie, un éternel et perpétuel mouvement.

Soyez dans le mouvement et votre vibration sera vivante et vibrante. Soyez des êtres vivants. Soyez dans une vie de mouvement.

Avoir une même réalité, un quotidien similaire pendant 10 ans, ce n'est pas l'énergie de la vie. Ce n'est pas l'énergie naturelle. Si vous vivez la même chose depuis dix ans, c'est que vous êtes endormis.
Un être libre et vivant, en lien avec les lois de la vie, ne sait pas de quoi sera faite sa journée. Un être libre, vivant et en lien avec les lois de la vie, se laisse traverser par l'inspiration. La création d'une réalité inspirante est faite de mouvement, de nouveauté, de joie. Avez-vous déjà vu un enfant désirer vivre éternellement la même journée ? Ceci n'existe pas. C'est aussi pourquoi vous êtes de plus en plus nombreux à ne plus supporter le salariat.

Vous aspirez à d'autres choses, à d'autres modes de vie. Cela parce ce que vous vous connectez à une part plus profonde de vous-mêmes. Vous entrez en contact avec votre âme.

Votre âme a besoin de mouvement.

Elle a besoin de grandir et d'évoluer. On ne peut évoluer qu'en étant en mouvement. Être en mouvement c'est se donner les moyens de vivre une vie créative, une vie pleine de couleurs, de joie et de rencontres.

De voyages intérieurs ou de voyages Terrestres en mouvement, les deux sont bons. Mais la routine, la répétition perpétuelle des mêmes comportements n'est pas naturelle et n'est pas bonne pour votre âme ou votre santé. C'est une énergie stagnante, une vie boueuse qui n'est pas bonne pour vous.

Alors les phrases du type, je suis trop vieux pour faire ceci, ou je manque de temps, ou je ferai cela plus tard... les excuses pour ne pas se mettre en action ou ne pas suivre une envie ou une inspiration qui vient, est un signal d'alarme. Un signal d'alarme que votre mental est conditionné dans la peur et la limitation.

Dites-vous plutôt : « Et pourquoi pas ? »

Je commence à apprendre le piano à 60 ans. Et pourquoi pas ? J'ai envie de changer de métier à 45 ans ? Et pourquoi pas ? J'arrête mes études car elles ne me conviennent pas ?
Et pourquoi pas ? Finalement je n'ai pas envie d'aller à ce dîner. Et pourquoi pas ?

Du moment que votre élan du cœur souhaite faire quelque chose avec joie alors c'est la bonne direction.

La bonne direction c'est suivre votre plaisir et ce qui vous fait envie. Alors vous êtes dans la bonne vibration. La vibration du plein. La vibration de la joie.

Suivez la joie et votre âme d'enfant et vous verrez que tout un plan est prévu. Que votre envie aussi simple soit-elle a un sens et qu'elle participe à un plan.

Si vous avez envie de suivre des cours de chant, il y a de fortes chances, que vous alliez y rencontrer une personne. Que cette personne vous parle d'un autre projet. Qui vous mène à d'autres personnes et qui sait, vous fera changer de métier, vous permettra de rencontrer la compagne ou le compagnon dont vous avez besoin en ce moment. Ou que vous serez invités à aller dans tel pays tant désiré etc.

Chaque envie est un message de votre âme
pour vous mener dans la bonne direction.

Suivez la direction du cœur et vous serez alors dans l'incarnation juste. Vous vivrez la vie que vous souhaitez. Vous vibrerez la bonne fréquence et vous impacterez de manière positive le monde qui vous entoure. Vous deviendrez un être inspirant pour les autres, vous montrerez la voie. Alors croire que c'est égoïste de suivre ses envies est en fait l'acte le plus généreux qui existe.
Nous le redisons, si vous voulez impacter l'extérieur, revenez vers l'intérieur, vers vous.

Si vous voulez mettre en place un projet, un rêve, une envie, suivez vos guidances intérieures. Écoutez vos émotions, la réaction de votre corps, soyez conscients de vos pensées. Vibrez la bonne fréquence, celle qui vous fait plaisir et vous met en joie.

C'est aussi simple que cela : la vie est faite d'abondance lorsque l'on écoute la voie du cœur, car tel un enfant, vous suivez les élans du cœur et tout devient une partie de plaisir.

Plus vous êtes dans le plaisir et la joie, plus votre vibration s'élève et votre âme lumineuse et joyeuse devient un faisceau de lumière utile pour la planète et sa vibration.

Faites-vous du bien
et vous ferez du bien au monde.

- V -
Les instants présents

VOUS LE SAVEZ, L'INSTANT PRÉSENT
EST LE SEUL TEMPS QUI EXISTE.

Ce qui vous éloigne de ce présent, ce sont vos pensées. Vos pensées font référence à votre passé ou alors elles imaginent un futur. Que vos pensées soient source d'espoir ou de craintes, elles influencent votre manière de vivre l'instant présent.

Les instants présents

Pansez vos pensées. Soignez-les et aimez-les c'est la meilleure manière de les accueillir. Pourquoi les accueillir ? Car elles vous traversent de toute façon.

Si vous vibrez une pensée négative ou une pensée qui vous stresse, au lieu d'être en lutte avec elle, accueillez-là. Chérissez-la, aimez-la.

Une pensée n'est qu'une manière de vous montrer où vous en êtes dans votre perception de la réalité.
Une pensée n'est pas vous. Une pensée n'est pas la Source.

Une pensée est un élément construit par votre cerveau qui adore s'occuper en permanence. Voyez vos pensées comme l'opportunité de découvrir ce qui se trame en vous.

Vous pouvez suivre vos pensées avec le recul, leur dire merci d'être là mais tu ne m'es pas utile.

Une pensée utile est une pensée
qui vous fait vibrer la joie.

Une pensée juste qui vient de la Source est une pensée apaisante. Une pensée qui vient de la Source et de la Meilleure Version de Vous-Même vient vous montrer de quoi vous êtes capable. Une pensée juste et utile vient du cœur, elle vous fait vibrer dans le corps la joie, l'envie, l'excitation. Une pensée juste vous donne le sourire et vous fait vivre un apaisement.
Ce sont les seules pensées qui soient utiles à vous mettre en mouvement dans la direction désirée.
L'instant présent n'est fait que de cela. L'instant présent est abondance. L'instant présent est le temps de tous les possibles, car c'est le temps créateur.

Vous êtes des créateurs à chaque instant, vous êtes les créateurs de vous-mêmes, de votre vie, de ce que vous suivez.

Un créateur de conscience est un créateur présent à son présent. Être là, dans l'instant, se révèle être une source inébranlable de joie et de foi car c'est le moment du tout est possible.

Tout est possible à chaque instant. Il est de votre pouvoir d'en avoir confiance et conscience.

Votre mental vous donne la notion de passé et de futur. Mais cela n'existe pas. Pas de la manière linéaire comme vous le percevez. Les trois temps existent au même moment. Votre passé est là vibratoirement, quelque part dans un autre espace. Et votre futur existe déjà, à l'image de ce que vous vibrez dans l'instant.

Pour l'image, le temps n'est pas linéaire, il est vertical. C'est la vibration de votre présent qui va influencer au même moment votre passé qui est sous vos pieds et votre futur qui est au-dessus de votre tête. Le temps est une notion qui n'existe pas réellement.

N'existe que le présent dans l'incarnation.

En vivant dans l'instant, dans la fluidité du moment : vous êtes. Vous n'avez rien d'autre à faire que d'être. Être c'est suivre ce que vous vibrez dans l'instant. Être dans cette humeur, cette action, cet endroit. Être là.

Êtes-vous profondément là dans votre présent ? Voyez-vous réellement ce qui passe autour de vous et en vous ? La plupart du temps vous fonctionnez en pilote automatique, vous êtes endormis.

Un être de conscience est un être présent. Vraiment là. Disponible à ce qui se passe à l'instant T. Être pleinement présents, c'est quitter le monde de la tête, pour vivre le monde du dehors. C'est être présents à ce qui se passe dans le corps. Être attentif aux émotions, aux sensations, aux pensées mais sans s'y associer. Juste constater, il se passe cela, ok. Être présent à soi, c'est être à l'écoute de ses émotions. De ce que vous ressentez dans votre corps.

Revenez à l'écoute de vos sens. Vos sens vous donnent la direction à suivre, ce sont eux les guides, les messagers de votre âme.

Votre corps est un temple.

Ce temple est la voie, ce temple est le guide, il vous montre le chemin. Prenez-en soin. En prendre soin, c'est être à l'écoute à l'instant T de vos besoins corporels, physiologiques et émotionnels. Cela semble tout naturel à lire, mais le faites-vous réellement ?

Le faites-vous à chaque instant ? Votre vessie est-elle entendue à la seconde où son besoin s'exprime ? Savez-vous réellement ce qui est bon pour votre corps ? Êtes-vous certains de prêter attention à vos réactions émotionnelles, chaque fois que vous regardez, écoutez, sentez, goûtez ou touchez quelque chose ?

Dans le monde dans lequel vous vivez, connectés mais déconnectés de vous-mêmes, il est difficile de revenir à l'écoute pleine de vos sens. Vous êtes comme débranchés.

L'instant présent
passe par l'écoute de soi-même.

Être branché en conscience à soi-même. C'est aussi simple que cela mais vous l'avez oublié. Ce n'est pas grave. C'est juste là où vous êtes et l'expérience que vous faites dans votre réalité.

Votre esprit, votre mental, votre intelligence vous ont coupé d'une certaine manière de votre plein pouvoir.

Quelque part votre plein pouvoir a un fonctionnement beaucoup plus animal, instinctif, instantané aux choses et aux événements. Votre nature profonde est plus naturelle, plus rapide et plus silencieuse.

Vous avez besoin de revenir à votre instinct, ce faisant vous serez apte à découvrir la Meilleure Version de Vous-Même. Votre version innée.

**Votre version naturelle est déprogrammée de ses programma-
tions Terrestres, de vos conditionnements.**

Pour revenir à votre part plus judicieuse, plus fluide, plus ancrée
dans la réalité, vous avez besoin de goûter au silence. Au silence intérieur. Revenir à cette part légère, corporelle, instinctive. Revenir
à votre mode « survie », tel un animal naturellement à l'affût du
moindre bruit, de la moindre odeur qui l'entourent.

**Nous ne vous demandons pas de ne plus être dans votre monde et
de revenir à votre manière tribale de vivre, quoi que... pourquoi
pas mais ceci vous appartient.**

*Nous vous conseillons de revenir
à l'écoute de votre cœur.*

De sentir votre cœur battre dans votre poitrine. De ressentir l'air qui
entre dans vos poumons. De sentir la volupté de vos pieds se poser
sur le sol. Humer l'air de dehors, sentir le vent qui se lève, la direction
où il va, le temps qu'il va faire...

**A quoi que vous prêtiez attention, vous pouvez être davantage
connecté à la mère Terre. Davantage connectés aux « émotions
extérieures » que vous envoient un arbre, une fleur, une abeille.**

Pour revenir à cette qualité d'être et ce silence intérieur, revenez
vers vous-mêmes.
Faites le vide en vous-mêmes. Cessez ce brouhaha mental qui se
remplit de choses non importantes ou du moins non essentielles
pour votre essence.
Ce que vous êtes, va bien au-delà de votre mental. Ce que vous êtes

et vos capacités sensorielles sont bien plus grandes que vous ne l'imaginez.

Vous pouvez changer la météo, vous pouvez léviter, vous pouvez déplacer des objets par la pensée, vous pouvez allumer un feu avec vos mains, vous pouvez guérir à distance, vous pouvez changer l'énergie de l'autre bout du monde par la pensée et la prière, vous pouvez danser pour les oiseaux, écouter le chant de la mer, caresser le vent qui vous souffle à l'oreille la saison, son humeur de météo et sentir ce que le ciel va vous dire d'ici quelques heures.

Vous pouvez retrouver la poésie de ce monde.

Lorsque l'un d'entre-vous, retrouve et accède à ces manières de percevoir le monde, il est soit perçu comme fou et dangereux, ou alors, il n'est pas entendu ou vu comme étant possible et acceptable. Nombreux sont ceux qui gardent en silence ces capacités et qui à force de les enfouir finissent par les endormir pour de bon.

Ces dons, ces cadeaux sont des cadeaux que vous vous faites à vous-mêmes. Un cadeau de revenir à la magie de ce monde et de votre réalité.

Vous êtes bien plus que vous ne l'imaginez et cela va se réveiller de plus en plus en vous. Vous allez être de plus en plus nombreux à le montrer et à le partager au monde, car c'est la voie naturelle de l'ordre des choses.

C'est la direction qu'il est bon de prendre. Il est temps de revenir à qui Vous Êtes Vraiment. Et vous êtes merveilleux, transcendantal et inouï de capacités enfouies.

Il est l'heure de le découvrir et de l'assumer. Il est l'heure de changer vos perceptions, il est l'heure de changer la vibration du monde. Nous avons besoin de vous. Et ceci passe par revenir à la qualité réelle du présent qui vous est offert.

Revenez dans l'ici et maintenant.

Ce chemin vous appartient, c'est à vous de l'interpréter et de l'incarner. C'est à vous de revenir à cette source d'être magnifique et de magnificence.

Vous êtes des êtres incarnés, dans cette réalité, dotés de pouvoirs créateurs et de perceptions innées. Si vous arrivez à allier ces dons avec la maîtrise de votre esprit, vous arriverez à un degré de réalité développé.

Vous arriverez dans une nouvelle dimension. La dimension de l'être incarné avec émerveillement. C'est la prochaine étape de l'humanité. Vous allez le vivre, le découvrir et le transformer. C'est une étape magique et nécessaire. Il ne tient qu'à vous d'y aller et de le faire. Nous sommes là pour vous y emmener de toute façon.

C'est d'ailleurs grâce à cette capacité à vivre le présent, que vous pourrez plus facilement entrer en contact avec nous.

*Le mental est comme une piste
qui vient brouiller le réseau.*

Comme une radio qui viendrait en chevaucher une autre. Notre canal de communication demande un certain silence intérieur, une certaine disponibilité de votre part. Plus vous serez calmes, meilleure sera la compréhension de notre communication.

Plus vous êtes disponibles dans votre tête, mieux vous recevrez les messages que nous vous envoyons.

Qu'ils soient visuels, auditifs, sensitifs ou autres, nos messages ne peuvent être perçus par vous que si vous êtes ouverts à cela. Cette ouverture vient par un cheminement de conscience et un travail d'écoute et de disponibilité que vous avez déjà entrepris.

C'est pourquoi vous lisez ces lignes. Elles viennent à vous car vous êtes ouvert à cela.

Votre disponibilité est la qualité de votre présence à votre présent.

Votre présent est le signe et le guide du bon moment, le seul et le vrai. Votre moment présent est ce qu'il y a de plus précieux. Prenez-en soin. Prenez soin de qui vous êtes, de où vous êtes et de comment vous êtes.

Soyez à l'écoute de vous-mêmes et respectueux de vous-mêmes. Cela passe par respecter le temps dans lequel vous vous trouvez.

Ne divaguez pas. Restez-là, présents, ouverts, disponibles et dans l'accueil. Des miracles arriveront.

L'instant présent est
la qualité d'être la plus précieuse.

C'est en étant dans ce silence intérieur que vous pouvez entrer en contact avec votre être profond, votre véritable être. En allant à la rencontre de votre intérieur silencieux et paisible, vous ouvrez la porte à la magie de l'être.

Vous goûtez à la volupté de la Source. Vous êtes en lien direct avec la Source, car vous êtes la Source.

Avoir cette qualité de vie et de présence est une façon d'être et de voir le monde qui vous est propre.

C'est à vous d'aller explorer ces zones en vous. Seul vous-même pouvez faire le chemin.

QUELS CONSEILS LES INDIVIDUS ONT BESOIN D'ENTENDRE POUR ENTRER EN CONTACT AVEC LE PRÉSENT ET CETTE QUALITÉ D'ÊTRE ?

Le premier conseil que nous pouvons vous donner,
c'est faites-vous confiance.

Bien souvent vous vous limitez dans vos peurs et vos craintes. Découvrir son être profond et intérieur est tellement nouveau pour vous, car vous n'y êtes plus habitués ou connectés au quotidien.
Vous pouvez imaginer des choses à propos de vous, que vous ignorez. Vous pouvez croire qu'il peut arriver quelque chose, mais quoi ? Pour quelles raisons avoir peur de soi-même ?

Pour atteindre cette qualité d'être,
vous avez à franchir cette barrière du mental.

Faire le vide en soi, plonger au cœur de soi est un voyage naturel, de bien-être, vous n'avez qu'à vous laisser bercer par votre respiration. Laissez le silence vous envelopper. Comme une plongée au cœur de l'océan, les vagues sont votre mental, arrivés en dessous, le calme et la sérénité sont là.
Vous pouvez vivre en étant en permanence « la tête sous l'eau », ce faisant vous atteignez une qualité d'être extrêmement sage et pointilleuse. Vous ne vous laissez plus attaquer par les choses, elles glissent sur vous. Vous êtes maître de vous-même, en pleine possession de vos moyens et de votre grandeur.
Présents à vous-mêmes, sensibles à votre écoute interne, vous êtes libérés du brouhaha qui vous entoure et vous êtes aptes à maîtriser

vos pensées, vos émotions et donc votre vibration. Vous êtes capables d'envoyer à l'univers ce que vous souhaitez vivre.

Vous incarnez dans le présent, le cadeau que vous vous offrez pour l'avenir. C'est pourquoi le présent est si précieux.

C'est l'instant T et votre vibration
qui créent votre réalité de demain.

En vibrant la joie, la sérénité par exemple, vous envoyez autour de vous une certaine couleur, une vibration que les autres ressentent. Ils se sentent intuitivement attirés à vous.
Le présent est votre temps pour vibrer ce que vous souhaitez vivre et attirer à vous les bonnes personnes, les synchronicités, les rencontres et les occasions dont vous avez besoin sur votre chemin.
L'instant présent et sa qualité d'être est votre instant créateur.

En étant conscient et en maîtrise de vous-mêmes, c'est à dire en pleine possession de vos moyens, vous vibrez la fréquence en conscience et vivez alors une vie de pleine conscience.

Le présent est
votre plus beau cadeau.

Le présent fait tout. Vous êtes le présent, vous êtes le tout.
C'est au présent que vous créez votre avenir et c'est au présent que vous vous libérez du passé.
Une vie abondante vient du fait que vous vibrez l'abondance à chaque instant. Vous vibrez la confiance, le rayonnement, la joie, le bonheur d'être vous-même, la foi, l'amour, vous vivez alors l'abondance.

Le vivant à l'instant présent vous attirez à vous les événements en résonance avec cette vibration. Ce que vous vibrez va attirer votre futur. Il n'y a donc qu'à être confiant puisque c'est votre vibration qui crée votre futur et votre réalité.

Le doute n'est que le revers de la foi. Le doute vous challenge, il réveille en vous votre foi.

Faites taire votre mental, soyez silence et harmonisez-vous à votre être intérieur calme, confiant et serein. Votre vie sera alors sereine, calme et confiante.

- -

COMMENT FAIRE LORSQUE NOUS VIVONS UNE PÉRIODE DE STRESS ? DE DOUTES INTENSES ? - - - - - - - -

Lorsque vous vivez une période de stress, votre corps vous envoie un signal fort.

Un signal que vous n'êtes plus à son écoute. C'est une manière de vous dire « Hé ! Reviens ! Tu n'es plus avec moi, tu n'es plus incarné dans tes muscles ». Votre énergie est ailleurs, perdue dans les méandres du mental. Toute activité qui vous fait du bien est bonne à prendre. Tout ce qui vous ramène à votre corps peut être utile.

Si vous ne pouvez vous offrir une présence à votre corps, revenez à vos émotions.

Vivez-les pleinement, exprimez-les, allez à leur rencontre. Un stress est souvent un besoin, un mal non entendu. Est-ce votre mental qui vous raconte des histoires ? Vous êtes-vous perdu dans les vagues de l'océan et vous noyez-vous ? Qu'est-ce qui peut vous faire du bien ? De quoi avez-vous besoin ?

Quel manque ou désir votre âme est-elle en train d'exprimer au travers de ce stress ?

Prenez le temps de demander à votre âme ce qu'elle souhaite. Soit un véritable appel s'exprime, soit c'est simplement votre mental qui vous fait des films faux. Vous projetez des craintes qui n'ont pas lieu d'être dans le présent.

Si votre âme vous envoie un signal fort avec une conséquence physique ou une blessure émotionnelle, un temps d'arrêt est nécessaire.

Il est temps d'arrêter la machine qui alimente le problème. Arrêtez-vous, respirez, concentrez-vous sur votre corps, prenez le temps qu'il vous faut. L'arrêt est important, il relie au présent. Le présent n'est pas en mouvement, il est. Le présent.

Vous vous posez trop de questions.

L'instant présent est simple, lumineux et beau à vivre. Cet instant de grâce et de vie EST.
L'instant présent est la voie de la grâce. C'est par cette magie de l'instant que vous goûtez à la beauté de la vie. Rien n'est plus harmonieux et signe de paix qu'un instant présent incarné, réalisé, convoqué.

Nous vous invitons à suivre la douceur de ces moments qui s'offrent à vous. Ces moments sont précieux, aussi précieux que la vie.

Qu'est-ce qu'une vie sans le plaisir de l'instant ?

C'est par la joie de l'être incarné que s'expriment la vie, la joie, le bonheur, la volupté d'une goutte d'eau et la saveur du vent qui vous frôle. C'est une chance pour vous de goûter à cela. Soyez réceptifs à cette joie et cette beauté qui vous entourent. La beauté est partout, en tout temps. La magie de la vie s'exprime par le moindre mouvement de vie.

La beauté est partout. La beauté est grâce. Voyez-vous l'harmonie qui vous entoure ? Lorsque le silence se fait en vous, vous avez alors la possibilité de voir cette grâce qui est. Tout ce qui est. Libérez-vous de vos pensées, libérez-vous de vos voiles qui vous empêchent de voir la lumière. La vie est bien précieuse, prenez soin de ce temps qui vous est offert.

Découvrez combien chaque minute est une occasion magique de célébrer la vie. Par de simples gestes, un regard, un sourire, un son, une musique, une fleur, un nuage, le chant d'un oiseau...

La vie est une source inépuisable
de joie et de bonheur.

La source est là, en vous. Cette joie qui fait de vous un être unique. Vous expérimentez dans la matière la joie d'être en vie. Rappelez-vous que ce n'est pas un dû.

C'est un miracle. Un miracle de vivre. C'est un miracle de vivre la vie que vous vivez. Suivez vos guidances intérieures, elles vous mèneront où doivent être vos pas.

La vie est comme une danse. Une danse avec soi-même. C'est en dansant dans les bras de vos envies, qu'elles vous guideront, tel un danseur en un mouvement fluide et leste, vers votre place.

Votre cœur sait. Votre cœur est la voie.

Chantez vos désirs et suivra le reste. La vie peut être plus simple que vous ne vous l'imposez parfois. La vie est un chant de danse en mouvement. C'est la volupté de vos pas qui vous guideront vers la joie.

Suivez vos envies, écoutez votre cœur et animez votre flamme. Telle une flamme jaillissante en vous, elle éclairera votre âme et nourrira votre cœur. C'est avec une grande caresse que sourit votre âme. Elle vous souffle à l'oreille ce à quoi elle aspire.

Inspirez en vous et laissez la magie du mouvement opérer.

C'est en cet instant entre l'inspir et l'expir que s'exprime votre être, votre véritable essence. Il n'y a qu'à laisser faire. Suivez le guide, suivez-vous.

Nous aimerions vous parler de la joie,
la joie qui est en vous.

Cette joie qui chaque instant vous anime. C'est la maîtresse des guidances. La joie est la voie la plus ultime car elle mène vers l'amour. L'amour est toutes les joies.

Les sens en éveil, soyez joie. Incarnez joie.

C'est en joyeuse compagnie avec vous-mêmes que vous goutez au plaisir d'être là. C'est par la joie que s'expriment l'amour de la vie, l'amour d'être là, l'amour d'être en joie. La joie anime les passions et anime l'humour. Voyez-vous combien la vie est pleine d'humour ?

C'est amusant de jouer à la vie, croyez-nous.

Lâchez du lest, prenez plaisir à être. Être là tout simplement. Qu'y a-t-il de mieux à faire ?

Être là, présent à son temps, n'est-ce pas la simplicité de la vie ?

Pour le reste, lâchez du lest !

Offrez-vous un moment, un moment de présence et de silence. Cette simplicité d'être ramène à la voie. À votre essence.

Un coup de fatigue ? Revenez à vous en silence, cela vous mettra de l'essence dans le moteur. Envie de dormir, remettez de l'air dans les poumons et c'est reparti.

La vie est une joie,
célébrez-la !

- VI -
L'abondance

**L'ABONDANCE EST
UNE VÉRITÉ UNIVERSELLE.**

C'est l'énergie qui traverse le tout, en tout temps à tout moment.
Le vide n'existe pas.
Il n'y a que du plein dans l'univers et le Grand Tout.

L'abondance

Le vide n'existe pas. Il n'y a que du plein dans l'univers et le Grand Tout. Ce plein est une conscience qui est en vous, celle qui vous anime et vous met en vie.

**L'abondance est une clé de compréhension
pour votre monde.**

Actuellement la croyance que le vide existe est encore trop présente. Votre niveau de conscience a besoin d'évoluer à ce sujet. Le plein, l'abondance est permanente.

Si vous souhaitez vivre une vie d'abondance, vous devez faire le « vide » en vous.

C'est à dire, laisser la place à l'univers pour qu'il entre en vous, vous traverse et œuvre à travers vous. Lorsque vous comprenez que l'abondance est partout et que le vide n'existe pas, alors vous osez prendre un « risque » et arrêter des choses : des relations, des activités, des espaces de vies...

En lâchant ces choses, vous permettez à l'univers de mettre autre chose à la place. Cette place divine qui s'installe en vous et se met à l'œuvre, permettant à l'abondance d'apparaître.

Comprenez bien que vous n'êtes créateur
que partiellement de votre réalité.

Les hasards, les coïncidences, les moments clés de votre vie, les rencontres, les intuitions, les idées, les projets, tout cela vient de la Source. Cela vient de là-haut. C'est parce que vous suivez votre joie, votre intuition et votre inspiration que vous laissez la Source œuvrer à travers vous. Vous êtes comme une voiture téléguidée par Dieu, La Source, les Anges, la Lumière, les mots que vous préférez.Vous croyez que c'est vous qui décidez d'aller à droite, mais en réalité c'est la Source ou votre âme qui vous l'a soufflé dans l'oreille.

En comprenant que vous êtes au service du Grand Tout, vous êtes alors dans un état réceptif en permanence, vous laissez la grâce divine vous guider et c'est alors que l'abondance arrive.

Nous n'avons aucun intérêt à vous faire vivre le manque pour vous réaliser. Si vous vivez le manque, c'est pour évoluer, grandir et vous remettre sur le droit chemin.

Si vous arrivez au stade d'être sur le droit chemin, alors vous œuvrez dans la bonne direction, sous la volonté du Grand Tout et c'est là que l'abondance arrive.

Vous vous laissez traverser par le flux divin, vous le laissez mettre les choses dans l'ordre, les bonnes rencontres, les bonnes opportunités, au moment opportun et tout cela se vit de manière joyeuse, solaire, épanouie, facile, fluide et abondante. Arrivé à ce stade, il n'y a plus d'efforts à fournir. Il n'y a qu'à se laisser Être, se laisser bercer par le flow de la vie, de l'inspiration et des guidances.

Vous vous sentez en parfaite harmonie avec le Grand Tout, en sécurité et vous savez que tout arrivera au bon moment, dans un ordre juste et que vous ne manquerez de rien puisque l'univers n'est que plein.

Vous serez un être solaire,
à la vibration élevée et connectée à la Source.

Alors les miracles arrivent et vous commencez à surfer sur la vie. Convaincu que la vague vous mène là où vous devez être. Votre attention est de garder l'équilibre, à l'écoute de cette vague énergétique, le chemin importe peu car vous savez que c'est le bon pour vous puisqu'il vient de la Source et que l'Univers est parfait tel qu'il est. Cette volupté est une source divine de satisfaction, de joie, de bonheur et de facilité.

Vous comprenez alors que la vie est une danse. Que la vie est facile et fluide car vous ne cherchez plus à la contrôler, à être aux commandes ou à prévoir.

Si vous faites du surf, vous êtes tellement dans le présent, vous savourez chaque seconde et vous ne vous préoccupez pas de savoir où la vague vous mènera. Elle vous mènera forcément vers l'avant, avec vitesse et vigueur. Une vague, si l'on surfe sur elle ne peut reculer. Vous vous laissez porter pour aller de l'avant. C'est une joie, une force et vous faites Un avec le Grand Tout.

C'est cela l'abondance. Arriver à un niveau tel que vous vivez un changement de paradigme.

Un changement de conscience. Vous quittez la matrice, le monde matériel à la vibration basse. Bien souvent cela crée des changements majeurs dans votre vie, car votre ancien moi :« le petit être égotique qui veut décider », n'y a plus sa place. Forcément par ce changement de conscience intérieur, cela crée des impacts dans votre extérieur. Car votre vibration change. Le monde qui vous entoure change puisqu'il est le reflet de qui vous êtes. Alors oui, des relations disparaissent, des emplois s'arrêtent, des déménagements arrivent, c'est tout votre monde qui se transforme avec vous.

La première étape est d'abord de laisser partir
cette ancienne vie, ces habitudes.

Cela peut être violent, faire mal, créer un effondrement de la vie que vous vous étiez projetée. C'est alors que vous vivez la nuit noire de l'âme. C'est le passage énergétique de la matrice au monde spirituel connecté. Tel un accouchement cela peut être douloureux. Vous sortez du « monde Terrestre », vous sortez de la matrice, vous sortez de votre ancienne vie, de vos schémas de pensée. Et ceux qui n'ont pas ce niveau de conscience, même si vous les aimez peuvent ne pas vous comprendre.

Les ruptures sont nécessaires car un meilleur vous attend. Si vous résistez à ce changement de conscience, l'univers créera des maladies, des guerres, des tsunamis, des pertes violentes et nécessaires pour créer un électrochoc puissant afin d'éveiller les consciences.

C'est pourquoi nous vous invitons à le vivre avec fluidité, conscience et choix. Afin d'éviter ces catastrophes naturelles ou des pertes trop lourdes de personnes.

Ce ne sont que des énergies.

Arrivés à ce stade, vous comprenez que vous n'êtes qu'énergie. Que la réalité sur la Terre, n'est qu'un jeu, qu'une forme qui n'est pas réelle. Vous vous dés-identifiez, vous sortez de la matrice. Tel un jeu vidéo vous comprenez que toutes ces années à vivre sur cette Terre sont un leurre, un jeu, un univers faux et factice. Vous comprenez que vous êtes bien plus que cela. Vous vous reconnectez à votre être profond, à la lumière divine qui est en vous.
Et vous vous souvenez qu'il y a bien d'autres réalités, d'autres formes de vies, d'autres réalités parallèles, d'autres galaxies et d'autres planètes dont celles d'où vous venez.
Vous comprenez que votre âme, qui n'est qu'énergie, est venue s'incarner sur Terre pour éveiller sa vibration et son impact sur les différents systèmes solaires. L'infiniment grand et l'infiniment petit prend tout son sens.

Vous êtes ici-bas pour éveiller les consciences, faire le bien autour de vous, relever cette humanité endormie pour la sauver d'elle-même.

Vous prenez conscience que toutes ces perceptions que vous avez toujours eues sont justes. Que vos sixièmes sens sont bien réels et que la vie peut prendre une toute autre forme.

Vous découvrez la lumière, le monde spirituel et vous arrivez à le vivre dans la matière, sur la planète Terre et cela devient extraordinaire. Vous sortez de l'ordinaire, pour entrer dans l'extra-ordinaire. Vous êtes alors reconnecté à la Source, au Divin, au Merveilleux, à Dieu, au Un et à la Divinité.

Une fois ce chemin fait, votre univers et votre monde se transforme, pour laisser place à la magie divine.

Vous comprenez que vous êtes au service du Grand Tout et qu'il n'y a plus lieu de s'inquiéter. Vous êtes au service. Vous suivez les guidances, vous œuvrez dans la direction qui est la vôtre depuis toujours et vous prenez conscience que tous vos dons, vos talents naturels, vos passions sont exactement ce dont vous avez besoin pour œuvrer et être un travailleur de lumière.

Toute votre vie prend son sens, vous comprenez le chemin dans une nouvelle globalité et vous voyez bien que la notion d'effort, de difficulté est absurde et inexistante.

Tout ce chemin pour cela ?
C'était donc ça ?

Vous comprenez que votre chemin de vie fait partie de votre réalisation. Que toute vos expériences passées vous ont apporté la connaissance, la maturité, la compréhension nécessaires pour aider l'humanité à se relever. Tout devient limpide et vous savez comment œuvrer. En laissant faire la magie divine, en la laissant vous traverser. Tout simplement. Vous faites alors ce que vous aimez, ce à quoi vous êtes bon et vous faites les choses avec facilité, fluidité et harmonie.

Là, l'abondance opère. Vous avez passé le cap, vous êtes prêt à recevoir. Votre égo s'efface petit à petit jusqu'à disparaître totalement. Le grand voyage commence, les surprises coulent à flots et chaque jour est un miracle qui passe à travers vous.

Vos freins n'existent plus, le temps n'a plus d'importance, vous savez où vous devez aller et quoi faire et vous le faites merveilleusement bien dans une grâce divine. C'est cela l'abondance.

- -
QUEL CONSEIL DONNEZ-VOUS POUR ACCÉDER À CET ÉTAT DE GRÂCE AU QUOTIDIEN ? - - - - - - - - - - - - -

Par la foi et la confiance.

Cela vous demande d'avancer les yeux fermés et le cœur ouvert. Car bien que vous soyez en sécurité, vous connaissez le prochain pas mais vous ne n'avez pas forcément la vision d'ensemble.

Au départ ce sera une inspiration,
une envie sans la comprendre.

Ne cherchez pas à comprendre, cherchez à être. Chercher à comprendre revient à être dans le mental.
Acceptez totalement que vous n'êtes pas aux commandes mais au service. Être au service, c'est faire les tâches demandées sans forcément connaître le plan d'ensemble. Être un être de lumière sans égo, c'est être humble, au service, dans la foi et la confiance. Il n'y a plus de notion de contrôle, de pouvoir et donc de compréhension.

C'est au-delà de la logique, cela se passe dans le ressenti. La vibration du cœur, de l'amour absolu et universel.

Arrivé à ce stade, peu importe la forme
que prennent les choses.

Vous savez que vous ferez le métier que vous devez faire, qui bien souvent est un métier qui n'existe pas à la base dans le monde Terrestre que vous venez de quitter énergétiquement. Vous devenez au service, allez dans la direction demandée avec le cœur ouvert, la foi et la vibration appropriée. Mais la forme que prennent les choses importe peu. Vous ne prévoyez plus votre emploi du temps à l'avance car vous ne savez pas ce que prévoit la vie pour vous. Vous ne choisissez plus votre partenaire amoureux, c'est la vie qui le choisit pour vous.

Tout cela est un cadeau car vous savez que la vie vous envoie parfaitement ce qui est juste pour vous.

La bonne pratique professionnelle, le bon partenaire, le bon lieu de vie, les bonnes rencontres, etc...
Le quotidien n'est que cadeau, ouverture de cadeau de la vie. Plus rien à décider, vous redevenez des enfants à qui l'on dit : à table, allons jouer à cela, allons par là. Les parents que sont vos guides, votre âme, la Source, sont d'un amour absolu et infini et donc aucune restriction n'est de mise.
Seuls la joie, la foi, le bien-être et l'humour sont le moteur

Toutes les activités artistiques et créatives sont un conseil pour vous, pour vous reconnecter à votre être profond.

Si vous avez envie de dessiner, de danser, d'écrire, de chanter, faites-le.

Vous allez vous rendre compte que ces activités sont des passages de communication avec le Grand Tout et que cela peut servir votre mission de vie. Ne vous empêchez pas d'aller là où votre cœur résonne, vous met en joie et en énergie : ce sont les guidances.

Comprenez que l'abondance
est un cadeau de la Source.

Une grâce divine à laquelle vous pouvez avoir accès si vous vous donnez les moyens d'évoluer et de cheminer vers votre niveau de conscience. Plus vous évoluerez, plus vous cheminerez vers votre Être Véritable, plus l'abondance, les sources divines et les miracles deviendront une habitude et un mode de vie.
Vous allez inscrire dans la matière un nouveau mode de vie, un nouveau quotidien bien différent de celui vécu actuellement sur la planète Terre.

Un nouveau monde sera en marche, où chaque individu pourra vibrer sa propre fréquence, sa propre couleur et apporter au monde sa contribution pour le bien de tous.

Vous avez tous votre place ici-bas et votre mission de vie est une vie facile, fluide et joyeuse à qui a osé nettoyer ses mémoires cellulaires (anciennes vies, karma, conditionnements, croyances limitantes, lignée familiale, interprétations des évènements de la vie...)
Arrivé à ce stade, vous ne serez que lumière, vibration, guidance divine et un exemple d'incarnation pour chacun.
Car oui, le but de l'incarnation est de devenir un exemple de l'Être Incarné Véritable.
L'être pur, dans toute sa splendeur, son unicité et ses talents.
Votre vécu dans la première partie de vie, dans ce que l'on peut

appeler le monde de l'égo, est comme un parcours scolaire, une phase d'apprentissage servant petit à petit à vous souvenir de qui vous êtes.

Une fois passé ce stade, vous entrez dans le monde de l'âme, du Grand Tout, au service.

À ce moment-là, il n'est plus nécessaire de suivre des formations ou d'obtenir des diplômes. Votre travail à ce moment-là, ou disons plutôt votre vibration, est de vous souvenir de tout ce que vous savez faire et être. C'est pourquoi les dons se manifestent.

Les dons sont la première porte d'entrée vers votre être véritable et la communication avec la Source et d'où vous venez (votre planète, votre galaxie, votre monde à vous, dont l'être humain n'a pas conscience).

Vous devenez de plus en plus conscient, et plus vous vous connectez à vos dons et aux guidances, plus vos pouvoirs réapparaissent et la seule chose qui compte dans ce que vous faites, c'est ce que vous êtes. Ce que vous émanez de par votre vibration.
Votre être impacte l'ensemble comme il se doit car il est. Le monde se transforme, les métiers s'inventent, la place de chacun devient une force et une résonance et l'harmonie parfaite se met en œuvre. Chacun à sa place, chacun avec son rôle, ses savoir-faire et ses talents. Tout devient, joyeux, simple et ludique et chacun se comprend.

Si vous lisez ces lignes et que vous avez déjà récupéré une partie de vos dons, vous ressentez de quoi nous parlons. Vous vous reconnaissez entre vous, et vous voyez bien que vous êtes des guides.

C'est pourquoi la transmission est si importante. C'est à force de transmettre, de montrer l'exemple, d'être un guide et d'incarner votre Être Véritable en l'affirmant, que l'éveil de conscience général peut avoir lieu.

Là est votre mission et le sens de votre vie.
L'abondance est liée à votre mission de vie.

Souvenez-vous de qui vous êtes, d'où vous venez, de tous les dons que vous avez. Plus vous affinerez vos dons, plus ceux-ci enverront une vibration forte qui impacte ce qui entoure.

Arrivés à un stade, il n'est même plus nécessaire d'agir. La vibration, l'intention et ce que vous êtes suffit de par votre présence à réparer la planète et l'humanité.

Être, juste Être.

L'abondance vient de votre être puisque, étant, vous êtes connecté à la Source.
La Source vient s'incarner sur la planète à travers vous et cette énergie divine venant de là-haut devient matière de par votre vibration.

Soyez-vous même, vibrez l'abondance
et l'harmonie sera en œuvre.

- VII -
La réceptivité

LA RÉCEPTIVITÉ EST CETTE CAPACITÉ À LÂCHER-PRISE.

Être dans l'instant,
dans la grâce du Grand Tout
qui œuvre à travers vous.

La réceptivité

Croyez-vous que c'est vous qui guérissez les autres ? Croyez-vous que votre voix vient de vous ? Croyez-vous que ce sont vos mains qui font des soins ? Cela vient grâce à vous, mais l'énergie qui est en œuvre vient de la Source.

Devenez énergie divine. En étant au service, dans un état réceptivité, alors vous ne faites plus d'interférences avec la Source. Celle-ci peut être véhiculée à travers vous.

Vous recevez et nous faisons à travers vous. C'est pourquoi vous avez autant besoin de nous, et nous de vous.

La réceptivité est
l'un de vos plus grands pouvoirs.

Car c'est de là que peuvent arriver les guidances, les sons, les synchronicités et les hasards nécessaires. La réceptivité : c'est votre capacité à écouter votre intuition ou les guidances clairement énoncées si vous avez accès à vos dons de claire-audience, claire-voyance, clair-ressenti, les songes, etc...

Votre capacité à percevoir ces réalités-là, parallèles, douces et subtiles est votre alliée et vous mène à la voie véritable : votre but d'incarnation.

Suivez cela tel un courant d'eau. Plus besoin de réfléchir, de se prendre la tête ou de décider. Il n'y a qu'à suivre. Bien entendu vous avez toujours votre libre arbitre et c'est à vous de décider de suivre ou non ce qu'il vous est proposé de là-haut.
Arrivé à une certaine subtilité, vous constatez aussi que finalement, même si vous avez votre libre arbitre en ce qui concerne le timing, votre voie véritable, elle, se dessine par elle-même. Et si vous résistez, cela devient source de confrontation, d'obstacles sur votre chemin, de problèmes de santé ou relationnels.

Si vous avez un but d'incarnation
c'est bien pour le vivre.

Non seulement pour votre âme mais aussi pour l'humanité et les galaxies entières. N'oubliez pas que vous faites partie du Un et d'un ensemble. Votre part est importante. C'est pour votre bien que les difficultés apparaissent car elles sont là pour vous remettre sur le droit chemin : le vôtre et celui de l'ensemble. C'est sur votre chemin véritable que l'abondance arrive, il n'y a donc aucune raison de dévier.

Ce qui vous dévie dans un premier temps c'est l'égo.

C'est cette envie de ne pas suivre les lois de l'univers pour croire que vous êtes créateur. Mais cela ne marche pas bien ou si peu de temps. Une fois relié à la Source à nouveau, là vous comprenez ce qu'est : Être Véritablement Créateur.

Un créateur suit l'inspiration. Un être spirituel, ou un être qui incarne sa mission en fait de même, il suit l'inspiration divine qui passe par les dons, les hasards, l'intuition, l'envie ou le cœur.

Suivez l'inspiration, suivez le guide, suivez votre voie, le bonheur apparait alors de lui-même. Vous n'avez plus à vous battre, il n'y a plus de notion d'effort, ni la peur de ne pas y arriver.

Car vous faites partie de l'ensemble, du Grand Tout, du Un qui est magnifiquement orchestré. Vous savez alors que tout se déroule tout seul. Ce qui ne veut pas dire que vous n'avez rien à faire et que vous vous reposez sur vos lauriers. Mais cela veut simplement dire que savez ce que vous avez à faire, et vous le faites dans un ordre juste, en suivant l'inspiration, le bon moment avec les bonnes personnes.

Cela demande de lâcher le mental et cette envie de contrôler les choses et le timing, vous suivez ce qui est juste. Ainsi chaque moment est une réception. Qu'est-ce que la vie a prévu pour moi aujourd'hui ? Vous constatez qu'en suivant cela comme par hasard vous avez la bonne énergie au bon moment, la bonne quantité d'argent quand il faut, le temps nécessaire devant vous pour mettre en place vos actions etc... Tout se fait tout seul, vous laissez faire et vous vous laissez bercer par l'univers et sa magie parfaite. C'est délicieusement bon et simple et c'est comme cela que se doit d'être la vie en réalité.

La vie est bien plus simple que vous ne l'imaginez si vous la vivez comme telle. Faites confiance.

C'est pourquoi la foi est si importante.

C'est elle qui vous permet de vous laisser bercer par le courant de l'eau qui vous mènera là où vous devez être, en suivant l'ordre du divin qui est parfait.

Les lois cosmiques se déroulent en suivant un plan d'ensemble, établi à l'avance dont vous n'avez pas besoin d'avoir conscience. Cela est bien plus complexe que votre conscience ne peut l'admettre. C'est pourquoi la foi suffit. La foi permet d'être dans cet état de réceptivité car sinon votre égo viendrait à nouveau contrecarrer cette énergie pour comprendre, analyser, dynamiser et finalement contrôler.

Votre égo est une énergie nécessaire à votre avancée, il fait partie de vous mais si vous souhaitez vivre la réceptivité totale, alors celui-ci devient secondaire. Il n'a plus son importance car il n'est plus nécessaire dans la réussite de votre chemin.

Arrivé à ce stade, vous savez que la vie n'est qu'illusion et que vous n'êtes pas la personne que vous jouez à être sur Terre. Vous êtes bien plus que cela, vous êtes énergie et cette énergie venant de la Source a un but bien précis.

Ce qui compte c'est ce but, c'est l'équilibre de cette énergie. Et donc telle une voiture téléguidée, vous vous laissez être dans la réceptivité et accueillez ce que Le Grand Tout a prévu pour vous.

En devenant ce joyeux instrument de la vie, vous vous sentez heureux, en sécurité, guidé, amené là où vous devez être et cette subtilité dansante avec la vie vous mène vers la réalisation totale et au bonheur.

C'est le chemin de l'incarnation : vous reconnecter totalement à la Source, à Qui Vous Êtes Vraiment.

C'est devenir la Meilleure Version de Vous-Même et celle-ci ne cesse d'apparaitre à vous jusqu'à la fin de votre vie sur Terre. C'est un voyage, une avancée spirituelle, une guérison profonde de toutes vos cellules et ainsi en allant vers cette lumière durant l'incarnation, vous éveillez les consciences, votre taux vibratoire et donc celle de la planète.

Voyez-vous l'ordre juste et divin ?

Ceci est simple, vous savez cela, vous êtes déjà sur le chemin. La peur ne peut plus exister en vous lorsque vous vivez comme cela.

Vous avez suffisamment de pouvoir et de force sur vous-même pour ne pas écouter votre voix, votre mental qui vous souffle des craintes, des doutes, des peurs.

Votre travail sur vous est suffisamment avancé pour faire taire ce mental réducteur.

Vous domptez celui-ci afin qu'il devienne une force. Une capacité à vous mener là où vous devez être, une force de caractère, une détermination à tout égard. Votre mental peut devenir un allié quand vous inversez sa tendance destructrice. Souvenez-vous de la dualité de ce monde.

C'est en faisant d'abord l'expérience d'un mental limitant, vivant dans la peur du jugement des autres, croyant qu'il n'y a pas de place pour tout le monde, ayant peur de ne pas être aimé qu'ensuite vous pouvez faire l'expérience inverse et entrer en amour avec vous-même. En sortant de ces schémas limitants vous avez acquis suffisamment de force pour ne pas retomber dedans. Votre monde est ainsi fait.

Mais si vous évoluez encore et encore, alors le monde changera et vous n'aurez plus à faire face à ces deux faces de la médaille, à cette dualité. Vous découvrirez une nouvelle dualité.

Imaginez que vous grandissez avec l'accès à vos dons,
l'accueil de votre unicité dès votre plus jeune âge.

Imaginez un monde où vous grandissez avec la possibilité d'être pleinement vous-même dans votre meilleure version dès le départ. Loin du conditionnement. Quel monde la planète Terre deviendrait-elle ? Que se passerait-il ?

La dualité pourrait évoluer car elle n'existerait plus. Vous seriez juste en parfaite évolution permanente, de plus en plus lumineuse, sans fin. Ce serait extraordinaire et c'est la direction que nous vous souhaitons. C'est pourquoi, à l'époque actuelle, il est temps de continuer à faire évoluer les consciences et à vous battre contre vous-même. Car c'est contre vous-même que vous vous battez dans un premier temps. Contre vos limites, vos croyances limitantes, vos visions erronées de vous-même.

Ce combat mené par vous-même pour arriver à devenir la Meilleure Version de Vous-Même est une métaphore du combat que vous menez contre le système dans lequel vous vivez.

L'être humain a voulu se couper de la Source et il en paie les conséquences. Votre chemin est de réparer le cœur de l'homme, afin qu'il n'ait plus à payer ses dettes.

C'est pourquoi il est nécessaire de continuer sans relâche, pas à pas, vie après vie jusqu'à ce que le niveau de conscience soit suffisamment éveillé pour retourner dans la lumière.

C'est cela le chemin qui se dessine
en étant dans la réceptivité.

L'autre avantage à être dans cet état, c'est la simplicité du quotidien. Nous ne voulons que votre bonheur. Une vie heureuse est une vie fluide, sécurisante, en paix avec soi-même.

À vous de trouver le chemin qui y mène, à votre rythme.

Les clés de ce livre sont là comme source d'inspiration pour vous mener vers cette voie. À vous de trouver ce qui est juste pour vous, selon votre chemin, vos expériences et votre niveau de conscience.

Mais vous constatez qu'au bout d'un moment tous les chemins se recoupent. Voyez comme tous les livres de développement personnel disent la même chose.

C'est la Source qui s'exprime au travers de chacun, chacun à sa manière, avec ses outils, son vécu et sa couleur.

Nous essayons par tous les moyens de vous faire comprendre cela. C'est pourquoi vous êtes de plus en plus nombreux à prendre ce chemin d'éveil car cela fait partie de l'horloge universelle de l'Univers. Il est temps et nous avons besoin de vous.

Continuez sur votre voie. Continuez à suivre vos élans de cœur et à être dans la joie. Alors le Grand Tout peut déverser tout son amour inconditionnel et l'humanité peut alors se guérir d'elle-même.

Tout ceci est une danse joyeuse et lumineuse.
Ce n'est qu'Amour. Ce n'est que Bonheur

- VIII -
L'action

TOUT CECI EST BIEN BEAU MAIS POUR QUE CELA SE MANIFESTE DANS LA MATIÈRE IL N'Y A QUE L'ACTION QUI PUISSE LE MATÉRIALISER.

Tous ces concepts, toutes ces compréhensions, toutes ces visions du monde que vous observez, celles-ci n'ont de valeur que par vos actions. Ce que vous vivez et vibrez dépend de ce que vous faites.

L'action

Jusqu'à quel point osez-vous être la Meilleure Version de Vous-même ? Jusqu'à quel point incarnez-vous dans la matière votre vision du monde et vos croyances ? Jusqu'à quel point êtes-vous cohérent et en harmonie avec la Source ?

Tout ceci pose la question du libre-arbitre, des choix de mode de vie, de votre capacité à suivre et conserver le rythme de Gaïa, à suivre l'ordre juste.

Jusqu'à quel point prenez-vous soin de votre corps Terrestre ? De la planète ? De ce qui vous entoure ? De vos compères les humains, les animaux, les végétaux, les minéraux ? Jusqu'où vont vos cohérences ?

C'est un grand chemin de remise en cause, de responsabilité, de sens du devoir et de déconditionnement. La route est encore longue sur ce sujet. Votre chemin ne fait que commencer.

Comprenez que vous avez votre temps seulement si vous passez à l'action. En menant l'exemple de quelque manière que ce soit, montrez au monde votre vision, vos savoirs et vos savoir-être.

Comment voulez-vous faire évoluer votre conscience si vous ne faites pas l'effort de l'offrir au monde ? Quand nous disons « votre conscience » c'est à la fois la vôtre mais aussi la conscience de l'humanité dans sa globalité.
Pour être un être évolué et devenir la Meilleure Version de Soi-même, cela demande de l'incarner et donc de se montrer au monde. Cela demande dans un premier temps d'oser être différent, d'oser se confronter à des différends avec sa propre famille, ses amis proches puis ensuite tout son entourage.

Vous avez parfois peur de montrer vos différences mais vous oubliez une chose : en vous montrant tel que vous êtes, vous donnez l'occasion aux autres d'en faire de même.

Croyez-vous que vous êtes si différents
les uns et les autres ?

Ce qui vous fait croire cela, ce sont vos perceptions erronées, vos limites mentales qui viennent de l'égo et du conditionnement. Mais dans le fond, votre cœur, a-t-il besoin d'être séparé des autres ?
A-t-il besoin de porter des jugements ? A-t-il besoin de croire que l'autre est différent ? A-t-il besoin d'avoir raison ? A-t-il besoin de prendre le pouvoir ?

Le cœur bat à l'unisson avec ce qui l'entoure. Le cœur aime, c'est sa fonction. Le cœur est la source divine de la grâce sacrée.

Votre cœur est là pour vous faire aimer. Votre cœur est là pour vous montrer la voie du pardon et de la transformation.

Votre cœur est la source de toutes vos actions.

Soyez conscient de la direction que prend votre cœur, votre vibration dans chacune de vos actions.

Faites-vous les choses pour aller vers du bon ou pour vous éloigner d'une souffrance ?

Si vous vous éloignez d'une souffrance, ceci est bon pour vous mais soyez attentif, la vibration ne fait pas de différence entre la négation et le positif.

Si vous agissez pour vous éloigner d'une souffrance, alors la vibration est en lien avec la souffrance et donc vous l'attirez à vous ou votre entourage, ce qui revient au même puisque vous ne faites qu'Un.

Soyez conscient de votre vibration. La vibration vient de votre cœur et donc de la raison de vos actions.

C'est pourquoi « aller vers » est la voie car vous vibrez le plein.

« Aller vers » un mieux-être n'est pas la même vibration qu'aller vers « l'éloignement » d'une souffrance.

Mère Térésa l'a bien compris, elle ne va pas manifester Contre la guerre mais Pour la paix. Ceci est totalement différent d'un point de vue vibratoire.

C'est pourquoi vos actions doivent être, si vous souhaitez devenir La Meilleure Version de Vous-Même, dirigées en conscience vers l'Amour et non la Peur.

Vers le plein et non la fuite. Allez vers et non s'éloigner de...
Cette façon d'expliquer est un peu simpliste dans le « bien » et le « mal », mais c'est la façon la plus simple de l'expliquer puisque vous vivez encore dans un monde fait de dualité.

De quoi vos actions sont faites ?

Chaque action est une vibration et chaque vibration a un impact conséquent sur l'ensemble de la planète. Plus vous serez conscient de cela, plus vite vous irez vers l'Amour Universel.

- -
AVEZ-VOUS UN CONSEIL VIS-À-VIS DE CELA ?
NOTRE CONSCIENCE DE NOTRE VIBRATION ? - - - - - - - - - - - - - -

Nous vous conseillons d'être Amour. De vous pardonner. De nettoyer toutes vos cellules et toutes vos mémoires afin de ne plus être influencé par celles-ci.
Si votre corps vibre déjà du négatif et de la souffrance, vous ne pouvez vous tourner vers la lumière car votre inconscient porte encore en lui des batailles, des souffrances, en résumé la vibration de la Peur. C'est pourquoi la première étape est de nettoyer votre passé, vos traumatismes, votre karma, vos anciennes vies, etc...

Nettoyez-vous, vous-même.

En vous nettoyant, vous faites votre part de colibri.
Si chaque être humain, nettoie sa propre vibration, alors naturellement la vie et le Grand Tout Terrestre se nettoie.

Tout étant vibration, votre seule voie est de nettoyer votre propre vibration. C'est pourquoi vous devenez un exemple et une source d'inspiration.

Devenir un exemple demande forcément d'oser se montrer au monde tel que vous êtes vraiment.
Oser assumer votre façon de voir le monde. Oser vous assumer.
Pour vous assumer, cela passe par vous déconditionner, vous réparer, changer vos perceptions, vos actions, vos pensées, vos cellules... pour découvrir qui vous Êtes Vraiment.

C'est un chemin de libération.

Et vous découvrez en avançant sur votre chemin, que plus vous vous libérez, plus vous attirez à vous des êtres libérés et ainsi vous créez une vague de libération qui devient un courant qui telle une goute dans une vague finit par devenir l'océan tout entier.
Parfois vous n'osez pas vous montrer de peur d'être seul, et vous finissez par être réellement seul, en restant entouré de personnes avec qui cela ne résonne plus mais vous restez avec, de peur d'être seul.
Comme vous vibrez la solitude et la peur et bien vous l'incarnez et vous êtes alors malheureux. Vous vivez une vie qui manque de sens.
Alors que si vous allez vers, vers l'Amour, vers la Lumière, oui peut-être que dans un premier temps il y aura des changements dans votre entourage puisque vous changez, mais ensuite vous laissez la place à de nouvelles rencontres, de nouvelles vibrations qui entrent en résonance avec les vôtres.

Et ces nouvelles personnes deviennent des guides pour vous, et elles vous guident vers la lumière aussi, et vous évoluez encore et encore.

Comprenez que vous n'êtes jamais seul.

La seule chose qui vous isole c'est la Peur.
Allez vers l'amour et le plein sera là.

Aller vers l'Amour, c'est oser agir pour ses rêves. Aller vers l'Amour, c'est oser découvrir qui Vous Êtes Vraiment. Aller vers l'Amour, c'est donner au monde la Meilleure Version de Vous-même.
Aller vers l'Amour, c'est partir à l'aventure et découvrir de nouvelles façons d'être et de vivre. Aller vers l'Amour, c'est suivre le battement de votre cœur, de vos envies, de votre joie.
Aller vers l'Amour, c'est oser suivre votre instinct et prendre des directions inattendues. Aller vers l'Amour, c'est suivre le flow sans savoir où l'on va.
Aller vers l'Amour, c'est prendre le large et découvrir la puissance du cœur. Allez vers l'Amour, c'est redécouvrir la poésie de ce monde.

Allez vers l'Amour, c'est...
A vous de compléter autant de fois que possible cette phrase.

Allez vers l'Amour.

Sentez-vous cette énergie qui vous enveloppe
en lisant ces lignes ?

Voilà la vibration, celle qui vous guide, c'est celle-ci.
Prenez le temps de bien la ressentir et laissez-vous guider par elle. La

réceptivité. Voyez-vous combien elle est importante en cet instant ? Voilà la vibration divine, vous en faites l'expérience en cet instant. Vous sentez votre cœur battre, vos cellules joyeuses et cette envie de danser la vie. Faites-le ! C'est maintenant, vous y êtes !

Continuez ainsi, sans relâche avec force et détermination.

L'Amour véritable et inconditionnel est ici en votre cœur. Vous voilà connecté à la Source. Laissez-vous guider par cette porte qui s'ouvre en vous. Laissez entrer cette lumière, devenez cette lumière et illuminez votre vie de cela. Tout simplement.

Goûtez à cette joie, cette excitation, cette vibration de vie, de plein, de grâce, de divin.

Vous êtes un être divin vous commencez à vous en souvenir. Continuez et ainsi la lumière sera, elle est déjà.
Voilà pourquoi vous pouvez chaque jour nettoyer en vous les nuages qui obscurcissent votre lumière intérieure. Tout est déjà là, en vous, allez trouver cette porte lumineuse et ouvrez-la de plus en plus chaque jour. C'est du bonheur. Le bonheur à l'état pur. La vie n'est-elle pas joyeuse ainsi ?

Agissez vers cette lumière,
incarnez-la dans la matière, faites-le !

Chaque action menée dans cette vibration est une victoire pour le monde. Célébrez chaque instant de cette victoire qui s'incarne à travers vous. Il n'y a que vous qui puissiez le faire.
C'est un honneur, un bon honneur, un bonheur et chaque heure est la bonne, évidemment.

Suivez cela avec joie et réceptivité et tout se mettra en place. Vous savez ce que vous avez à faire. Faites-le, rien ne peut vous arrêter. Vous le savez bien.

A vous de jouer et d'agir. L'action est là, entre vos mains.

Il n'est plus temps de le lire, nous vous passons le relai et nous vous faisons confiance.

- IX -
L'harmonie

**L'HARMONIE EST LA LOI UNIVERSELLE
QUI RÉGIT LA CRÉATION ET LE MONDE,
VOUS L'AVEZ COMPRIS.**

*Ce que nous souhaitons vous partager dans ce présent chapitre,
c'est l'état d'harmonie avec Votre Être Véritable.
Votre Moi Supérieur.*

L'harmonie

Cette harmonie de communication avec votre Être Supérieur passe par un état d'être, une vibration haute et subtile. Cette communication ne peut avoir lieu qu'avec un état d'être à la haute vibration régie par le cœur.
Votre cœur est la voie. Votre joie est la voie. Votre désir est la voie.

Avant toute chose, une décision doit être prise par vous. La décision d'entrer en communication avec votre voie véritable.

Entrer en communication veut dire, oser se laisser bercer par la Source qui se manifeste dans votre cœur.

La joie et le bonheur sont des chapitres entiers que nous vous invitons à lire avant de suivre celui-ci, si vous lisez ce livre dans le désordre.

Ces concepts sont des manifestations de vos désirs et de vos souhaits les plus profonds. Ce à quoi vous aspirez est la voie / voix.
Ce à quoi vous aspirez est la voie, la voix de Votre Être Véritable, Votre Meilleure Version de Vous-même, de Votre Moi Supérieur. Tout ceci est la même chose. C'est votre Connexion à la Source qui se trouve en vous logée dans votre cœur. Une vie faite d'harmonie est une vie qui suit l'inspiration du moment et l'élan de votre cœur et de votre corps. Cette synchronicité intérieure avec vous-même est ce qui permet aux synchronicités extérieures de venir à vous. Car vous le savez, ce que vous percevez, votre réalité objective n'est autre que le reflet de votre intérieur et de votre rapport à vous-même.

Pour vivre une vie fluide, en suivant le flow et les lois de la vie, cela demande de suivre votre instinct, votre rythme juste et d'être votre propre patron dans la façon dont vous menez votre quotidien, vos horaires, vos activités et vos déplacements.

Un être « harmonieux » est
un être « libre » de lui-même.

Libre des conditionnements, libre de son histoire et de son passé. Un rebelle de la société est un être libre de rayonner sa propre lumière. Plus vous suivez ces guidances, plus vous êtes amené à créer votre vie, votre réalité et votre façon d'œuvrer dans le monde. Ce chemin de la voie de la libération est une voie qui crée un nouveau système, un nouveau paradigme, une nouvelle façon de vivre sa vie au quotidien.
Plus vous serez libre de tout, plus il vous sera facile de suivre les

guidances et l'ordre juste qui n'a rien à voir avec l'ordre établi par la société. C'est beaucoup plus simple, fluide, intuitif.

Plus vous serez nombreux à vivre comme cela, plus les évidences viendront et la « synchronicité » sera la définition de chaque seconde vécue ici-bas.

Les hasards heureux, les synchronicités, les rencontres qui transforment votre vie ne peuvent arriver que si vous êtes déconditionné et que vous suivez vos élans du cœur.

Ce qui a fait que vous venez de vivre une synchronicité cette semaine, choisissez-en une au hasard, celle-ci est apparue dans votre vie car vous avez suivi l'envie d'aller à tel endroit et non un autre.

Vous avez suivi l'élan du cœur qui vous a permis de vivre ce « rendez-vous », cette synchronicité. Vous en vivez à chaque seconde en réalité et plus votre porte intérieure est ouverte, plus ces « hasards » sont nombreux. Ils deviennent votre seconde nature.

Ouvrez la voie du cœur et de la joie et l'harmonie sera présente à chaque instant.

C'est pourquoi la réceptivité, cette façon d'être est primordiale, car celle-ci vous permet d'être à l'écoute de ces rendez-vous. Plus besoin de prévoir à l'avance, vous vous laissez guider par l'instant. Vous n'êtes plus prévoyant, vous êtes, tout simplement car vous faites la véritable expérience de l'instant présent à chaque seconde de votre vie.

*Vous êtes libre de vivre la vie
que vous souhaitez.*

Vous êtes libre de créer la réalité que vous souhaitez. Tout est possible.

Absolument tout, puisque vous êtes un être sans limite.

Ce qui vous limite ce sont vos croyances, vos systèmes erronés et vos lois qui se dressent[2] contre vous.

Revenez vers la lumière, Votre Être Véritable et votre monde change. Vous pouvez, par la décision et l'action, changer tout ce que vous souhaitez. Tout ce qui vous freine, tout ce qui vous limite, tout ce qui vous maintient dans une sécurité illusoire peut s'effondrer en un instant, si vous le décidez et revenez à la Source Véritable : l'Amour.
L'Amour est la voie la plus libre et harmonieuse.
L'Amour Véritable. L'Amour inconditionnel.

Vous savez tout cela, vous en avez déjà fait l'expérience. Continuez sur cette voie et alors la lumière apparaîtra sous un nouveau jour.

En faisant tomber les masques, en vous éloignant de ce qui est faux et donc en allant vers la justesse, l'amour, la joie et le cœur, alors la beauté peut naître et un nouveau monde peut se mettre en place.

L'harmonie est l'ordre des choses.

Voyez-vous comme le monde est parfait ?
La nature est parfaite. La nature est harmonie.

Redevenez nature et harmonie.

Cela ne tient qu'à vous et cela est logé dans votre cœur.

---

2. NdE : La formule utilisée à l'origine est « qui s'irriguent »

Un être incarné dans sa lumière véritable agit avec le cœur à chaque seconde. C'est un « travail » de longue haleine au départ et puis cela devient une seconde nature. L'expression est mal choisie car en fait vous redevenez votre nature véritable.

Vous êtes né grâce à l'énergie d'amour.

Quelle que soit la forme de la relation de vos parents lors de votre arrivée sur Terre, votre conception n'a pu avoir lieu que parce que l'énergie à cet instant T était faite d'amour pur et véritable.
Cet amour est la Source de Votre énergie. C'est la Source.

Être Amour.

Cela peut résumer tout le sens de la vie et la direction à prendre. Être Amour. L'harmonie est l'amour à la vie.
C'est avoir la foi, car en suivant les lois harmonieuses de la vie, alors l'abondance est.

Nous ne voulons que votre bonheur. Vous pouvez vibrer l'harmonie et l'abondance car dans l'harmonie des choses, il n'y a que du plein et donc de l'abondance.

Une vie harmonieuse est une vie d'abondance car tout est parfaitement orchestré. Vous vivez exactement ce qui est bon pour vous. Et en cheminant en conscience vers votre mission et votre Être Véritable, vous incarnez une vibration de plus en plus haute et l'abondance le devient aussi. L'abondance que vous vibrez, vous l'attirez. Vous vous sentez en sécurité puisqu'en lien avec les lois universelles. L'abondance n'est autre que le reflet de l'abondance que vous avez envers vous-même.

L'abondance envers soi-même revient à s'aimer et à être qui vous êtes censé être. Plus vous vous réalisez, plus vous vous aimez, plus votre vibration augmente et plus l'abondance aussi.

Votre réalité reflète votre intérieur. Allez voir le trésor qui est en vous et alors votre vie deviendra une richesse infinie, abondante et harmonieuse.

C'est un cadeau. Un chemin de vie abondant et fait de grâce. La vie n'est qu'Amour lorsque l'on revient en concordance avec la vibration véritable de la Vie.

Suivez le guide. Suivez le cœur et votre vie sera fluide, harmonieuse et abondante.

Vous pouvez le décider
en vibrant tout de suite l'abondance.

Vibrez tout de suite qui vous souhaitez être.
C'est la loi du « comme si », faire comme si cela était déjà fait. Ce qui compte avant toute action, c'est votre vibration. Vous avez le pouvoir d'influencer votre vibration.
Décidez d'être heureux, dès maintenant.
Décidez d'être abondance, dès maintenant.
Décidez d'être pardon, dès maintenant.

Votre vibration est une décision. Vous pouvez influencer votre humeur, vos émotions et vos pensées, ce à quoi vous prêtez attention, et cela influence votre vibration ! C'est simple.

Vibrez dès maintenant ce que vous souhaitez être.

Et si vous ne savez pas qui vous vous voulez devenir, vous pouvez vibrer la réceptivité.

« Envoyez-moi des guidances pour mon chemin, je suis tout ouïe ! »
Ouvrez les yeux, le cœur, les oreilles, tous vos sens et perceptions et soyez prêt à recevoir les guidances !

Elles peuvent prendre toutes les formes ! Soyez attentif. Ce ne sont que des guidances, des panneaux de signalisation vers votre voie.

Décidez de vibrer votre Être Véritable, même si vous ne savez pas la forme qu'il prend, et laissez venir par l'intuition et l'envie la forme que doivent prendre les choses, votre vie et vos comportements.

Suivre les guides, c'est suivre l'envie, la joie et l'Amour.
C'est simple. Très simple.

Il n'y a que votre mental qui complique les choses.
Redevenez joyeux avec votre âme d'enfant.
C'est simple. Inné. C'est en vous, souvenez-vous.

L'harmonie n'est autre
que la voie du cœur.

Vous y avez déjà goûté. Toutes les activités où vous ne voyez pas le temps passer, sont des activités harmonieuses. Les activités où vous vous oubliez et où vous vous permettez d'être, sont harmonieuses.
Suivez l'envie et la joie, encore une fois.

Toutes les activités artistiques, sportives, créatives, qui vous nourrissent sont bonnes à être vécues car elles vous mènent vers votre Être Véritable. Votre Être Véritable n'est autre que la part de vous joyeuse, qui s'amuse et aspire à se sentir vivante.

Pour le reste, c'est du vent, du leurre, des choses qui vous ralentissent. Ce qui vous ralentit n'est pas important. Pas du point de vue de l'âme et de la réalisation.

Faites le tri nécessaire à votre avancée pour ne vivre que la Joie à chaque instant. Vous ferez alors l'expérience de l'harmonie.

Cet état de grâce incarnée et fluide vous mène indubitablement vers la réalisation et la douceur de vivre ; l'harmonie ne se fait pas dans l'effort mais dans la douce action inspirée.
C'est le bonheur à l'état pur. Une fleur est heureuse de pousser, ce n'est pas un effort, cela se vit simplement.

Vous n'avez plus besoin de « penser » vos créations, elles se créent d'elles-mêmes.

Une femme enceinte ne « pense » pas la conception de son enfant, elle le vit simplement. Enfantez en vous-même votre Être Véritable.

La nature est la meilleure source d'inspiration qui soit.
Reconnectez-vous à la Nature, c'est là que tout se passe et se vit.

Vous êtes le fruit de la nature,
rappelez-vous.

- X -
La foi en soi

VOUS ÊTES BIEN PLUS GRANDS QUE VOUS NE L'IMAGINEZ, FAITES-VOUS CONFIANCE ET LAISSEZ-VOUS SURPRENDRE.

La grâce divine se déverse sur vous lorsque vous êtes disponibles, comme désarmés, n'ayant plus cette bulle de protection factice qui vous maintient dans une énergie basse. Cette bulle de protection est liée à cette envie de « pouvoir », d'être maître de votre vie et de votre destinée.

La foi en soi

Le pouvoir véritable est celui de suivre les guidances qui sont en vous. De vous faire confiance dans ce que vous ressentez, vivez et vibrez. Votre pouvoir instinctif est lié à l'harmonie de la vie, la douceur des choses et la Vérité. Laissez-vous surprendre par cette vérité, cet accueil et ce voyage.

Les ailes déployées vous pouvez vous envoler vers la Source. Vers vous-même.

Avoir la foi en vous-même vous demande de lâcher
vos habitudes, vos zones de connaissance.

Libérez-vous de vos projections et de ce que vous croyez bon pour vous avec votre tête. En faisant confiance à Votre Être Véritable, vous allez voir apparaître de nouvelles formes de communications plus subtiles.

Vous allez laisser votre quotidien se dessiner sous vos yeux avec une nouvelle grâce et une nouvelle énergie. Vous allez partir à la découverte de vous-même en suivant le flow et l'inspiration et cela prendra une forme différente de ce que vos pensées prévoient pour vous.
Vous ne pouvez prévoir et connaître à l'avance ce qui va se passer en une journée. Là est toute la beauté et la foi.

Laissez-vous porter dans cette foi et vous verrez une nouvelle vie s'offrir à vous.

Si vous lisez ces lignes c'est que votre conscience vous appelle. Votre Moi Supérieur vous fait un signe pour vous montrer de quoi vous êtes capable et cela est bien de l'ordre des miracles.
De nouvelles idées miraculeuses vont venir à vous. Une nouvelle réalité est en train de s'installer dans vos cellules. Laissez-vous bercer par celle-ci.

Pour laisser faire ce fameux lâcher-prise, il y a besoin d'un espace en vous qui soit disponible, comme neutre.

Un espace d'accueil pour laisser venir à vous cette énergie. Elle ne se décide pas, elle vient à vous au moment opportun. Elle ne se prévoit pas, elle vient à vous par surprise, tel un cadeau inattendu. Car nous parlons bien de l'inattendu, de la nouveauté, du coup de grâce.
Les meilleures idées, les meilleures discussions, les meilleurs moments de vie viennent et se manifestent lorsque vous êtes détendu. Lorsque vous ne « pensez » plus à l'objectif à atteindre mais que vous

le vibrez, alors il s'incarne. Cet espace de « vide », de disponibilité, ce lâcher-prise, est nécessaire pour que les miracles aient lieu.

Cette disponibilité est la foi en soi, car c'est être convaincu que les choses peuvent arriver comme par miracle. S'il n'y a plus de doutes, alors il y a la foi.

S'il y a la foi, alors il y a un espace d'accueil qui naît en vous.

Cette disponibilité intérieure est comme un état méditatif, disponible, à l'écoute avec un certain recul.

C'est ce recul qui permet de laisser la place à la magie divine. Sans cet espace rien ne peut se passer, car votre « égo », votre énergie, prend trop de place. Laissez faire, soyez réceptifs et accueillez.

Voyez-vous, le juste milieu, la voie d'équilibre est un mélange subtil entre votre énergie féminine, intuitive, réceptive et votre énergie masculine, qui agit, va de l'avant et met en action les choses.

Écouter puis agir. Ressentir puis avancer. Recevoir puis aller de l'avant.

Si vous n'êtes que dans l'action, l'inspiration ne peut venir vous souffler la guidance dans l'oreille. Si vous n'êtes que dans l'énergie féminine, vous ne pouvez l'incarner dans la matière.

Être connecté à la Terre autant qu'au ciel.

À l'écoute de votre intérieur et ouvert au monde.

Agir et recevoir. Suivre et mener.

Sans cet équilibre votre vie manque de mystère.

Dès que vous sentez que vous avez un « contrôle » trop grand de votre vie, une vision trop définie, une perception précise de tout votre temps et de vos actions, c'est que vous êtes dans le contrôle.

Vous pouvez arriver à vos fins, mais la magie de la vie ne peut vous accompagner. Vous faites le chemin seul avec vous-même et non en harmonie avec la Source. C'est plus laborieux, lent et fatiguant. Et si à l'inverse, vous attendez que tout vienne de là-haut, sans rien faire, il ne se passera rien.

Agir avec guidance. Une guidance ne peut venir à celui qui est à l'arrêt, car l'arrêt est aussi une bulle de protection, une notion de « pouvoir ». « Je ne veux pas être surpris, je ne veux pas connaître la suite, donc je n'avance pas, comme cela je suis certain de savoir ce qui va se passer. » C'est à dire, rien de nouveau, un éternel recommencement de la même vie que vous connaissez si bien.

Vous avez le libre-arbitre, vous pouvez choisir ce que vous désirez.

Nous ne sommes que des messagers pour vous guider vers la voie spirituelle, mais ensuite il vous revient de faire ce qui est juste et bon pour vous. Ce livre est une source d'inspiration, non un ordre.

Vous êtes libre. Faites ce qui est bon pour vous.

C'est aussi une question de timing. Il est possible que ces concepts vous parlent mais que vous ne vous sentiez pas prêt à les incarner véritablement. C'est une guidance : ressentir ou non une chose. Si vous ne le sentez pas, c'est qu'il y a une raison à cela ; découvrez cette raison et vous verrez où celle-ci vous mène.

Faites confiance aux processus, au temps, à l'ordre et aux étapes naturelles de la vie. Tout vient en son temps, dans un ordre juste.

La voie spirituelle est très confrontante.

Car elle amène de nombreuses remises en cause, de profonds

bouleversements de soi-même et de son rapport au monde. C'est un acte courageux que de s'éveiller à cela.

Soyez fier du chemin parcouru et du combat intérieur que vous menez depuis votre naissance.

Car revenir à la Source est un combat de désidentification. Cela vous demande de sortir de la matrice, du conditionnement, de vos schémas de pensée et de ce sur quoi vous vous êtes construit dans un premier temps.

Comme tout changement, il y a d'abord un deuil. C'est pourquoi nous avions partagé la première clé du bonheur : accepter le changement.

Un changement demande de l'effort, de la ténacité, de la constance et la foi inébranlable au fait que quelque chose de mieux arrive. Cela demande aussi de voir ce mieux qui est déjà là. Voir les choses telles qu'elles sont et non telles que vous les percevez. Telles que vous les ressentez et non telles que vous les croyiez.

Revenez dans le corps, dans les sensations,
au-delà de vos cinq sens.

Ceci ne peut être vécu par le mental. Celui-ci vous sert à d'autres choses. Mais suivre la foi, les guidances et ce flow de la vie c'est suivre son rythme physique, physiologique, émotionnel et sensoriel.

Votre corps détient les clefs car c'est le temple de votre âme.

Imaginez que votre Moi Supérieur, votre âme, vit dans un temple.

Ce temple c'est votre corps. C'est en écoutant votre corps que vous ressentez que votre âme ouvre une fenêtre ou toque à la porte pour vous parler. Vous n'êtes pas dans le temple mais à l'extérieur. Vous êtes énergie et l'énergie est partout. Votre point de connexion à la Source, à votre Moi Supérieur, à votre âme, c'est votre corps. C'est votre téléphone pour communiquer.

Revenez dans votre temple sacré et vous y trouverez toutes les réponses.

Cette façon d'être à vous-même, vous ouvre à la voie du bonheur. Ce temple sacré en vous est une source infinie de guidance, de joie et de voies à suivre.
Ce temple est la clé de vous-même, c'est par là que tout se passe. Revenez en vous, en cet instant et à l'écoute de votre corps.

Vous connaissez ce chemin depuis la nuit des temps, il est totalement naturel.

Cette voie libératrice vous mènera vers la bonté de ce monde et vos forces insoupçonnées apparaitront d'elles-mêmes. Tel un temple magique, savourez cette unicité qui s'exprime en vous et découvrez votre lumière intérieure véritable.

La voie du succès, dans le sens de la voie de la Réalisation de Votre Être Supérieur dans votre incarnation, se déroule grâce à votre corps.

Grace à votre expérience dans la matière. C'est votre corps qui rend les choses possibles. Prenez-en soin et découvrez ce qu'il a à vous offrir. Des dons, des savoirs insoupçonnés vont apparaître de plus en plus si vous vous laissez bercer par cette douceur divine. Et cela passe par la foi en vous, en vos perceptions, en vos intuitions et en vos dons.

Plus vous vous ferez confiance, plus vous donnerez l'autorisation à Votre Être Véritable de vous montrer la voie. Allez-y pas à pas, expérimentez, découvrez, trompez-vous, au pire que se passe-t-il ? C'est juste une expérience.

A force de vous faire confiance, vous comprendrez qu'il n'y a que votre doute qui vous fait vous tromper.

Si vous vibrez la foi, la foi absolue que vous avez raison, vous en ferez l'expérience. Ce qui compte ce n'est ni ce que vous faites, ou la forme que prennent les choses, ce qui compte c'est votre vibration. Si elle vibre la foi et la confiance, alors la confiance vient à vous et se manifeste dans votre réalité.

Rappelez-vous, vous êtes maître de la réalité que vous vivez par ce que vous vibrez. Vibrez la foi, et la vie sera harmonieuse, douce et fluide.

Faites confiance. Tout est là.
Le tout c'est vous.

- XI -
La peur

LA PEUR EST L'OBSTACLE MAJEUR DE VOTRE VIBRATION ET DE VOTRE VIE. LA PEUR VOUS FREINE ET VOUS FAIT MATÉRIALISER CE QUE VOUS NE SOUHAITEZ PAS.

Tout est énergie.
De quoi avez-vous réellement peur ? Qu'est-ce qui peut bien vous arriver dont vous ne pouvez vous remettre ?
Si vous êtes allés voir dans vos mémoires, vos cellules, vos anciennes vies vous avez déjà vécu le plus difficile.

La peur

Comprenez qu'une fois reliée à la Source, la forme importe peu puisque tout est énergie.

Vous savez que vous êtes relié en permanence au Grand Tout et donc à chacun d'entre vous. Ainsi l'énergie d'un être cher est toujours présente à vos côtés si vous le désirez. Que cet être soit dans la matière où de l'autre côté.

L'énergie circule, le temps et l'espace n'existent pas réellement.

Tout est interconnecté.
Tout est là en permanence mais vous l'avez oublié.

La Source est infiniment grande et petite.
La Source Est. Vous Êtes la Source.

La vie dans la matière sur Terre, n'est pas le plus important. C'est une vision erronée de la réalité. Vous croyez voir une table, mais ceci n'est qu'une énergie lente. Rien n'est solide. Absolument rien.
Tout est composé d'atomes qui eux-mêmes sont composés principalement de vide. Quelque part vous êtes du vide. Vous n'existez pas, en tout cas, pas comme vous l'entendez.
Puisque tout est énergie et que l'énergie peut être partout, vous pouvez l'être à la fois aussi.

Vous êtes le Grand Tout. Quel lien avec la peur ?

La peur est ce qui vous fait croire que vous êtes coupé de la Source, des autres, de l'Amour. La peur vous coupe de votre Être Véritable. Comprenez que vous êtes une âme, une énergie, venue s'incarner sur Terre pour faire des expériences, évoluer et faire grandir le niveau de conscience et de vibration de la planète. Ce n'est pas votre vie véritable, c'est juste un voyage d'un temps certain qui n'est rien au vu de votre éternité puisque l'énergie est éternelle.

Acceptez que vous êtes énergie et que vous faites partie du Grand Tout et vous acceptez alors de n'être qu'amour .

La peur, le manque, la souffrance ne sont que des expériences mais ce n'est pas vous. La vie n'est qu'un jeu et vous vous y prenez tellement que vous en oubliez les règles.

Ce niveau de conscience vous amène
à lâcher-prise.

À oublier ce que vous croyez être pour laisser la magie venir à travers vous. Si vous lâchez et dites au revoir au monde de l'égo, vous laissez place au monde de l'Amour. Vous vous en remettez à plus grand que vous et vous savez que vous êtes en sécurité. La peur ne peut y exister. Alors oui, atteint ce stade vous n'êtes qu'énergie pure. Vous n'êtes plus en lien avec vos peurs qui sont des manifestations de l'ancien monde, de votre ancien moi.

La peur s'invente de par des références du passé. Une fois libéré du passé, ouvert au présent, la peur ne peut être là. Soyez réceptif à votre avenir.

La peur est malheureusement ce qui régit la planète Terre. En tant qu'être humain, vous avez oublié d'où vous venez. Vous avez oublié la Source de tout. La connexion avec la Source. L'énergie, votre véritable identité qui n'est pas celle que vous avez sur Terre mais une énergie bien plus grande, bien plus céleste et bien plus magique.

La plus grande épreuve que vous traversez en vivant sur la planète Terre est de vous souvenir de votre connexion au grand tout. De vous souvenir d'où vous venez.

Vous ne pouvez imaginer la puissance du taux vibratoire que vous avez quand vous n'êtes pas incarné sur Terre. Vous êtes des travailleurs de lumière. Vous êtes énergie pure. Vous êtes la Source, vous ne formez qu'un avec le Grand Tout.

Mais le problème est que lorsque vous vous incarnez sur Terre, vous oubliez cela. Vous ne vous souvenez plus de la Source. Vous ne vous souvenez plus de cette connexion au Grand Tout. Vous ne vous souvenez plus de qui vous êtes, ni pourquoi vous êtes venus vous incarner sur Terre.

C'est là le plus grand défi de la vie. Car malheureusement, la Terre, actuellement, est régie par une énergie de Peur.

C'est la Peur qui mène vos mouvements.

La Peur qui entraine vos actions. C'est la Peur qui régit le monde. Tout ce que vous faites, est d'abord, dans un premier temps, régi par la Peur. La Peur de ne pas être aimé. La Peur d'être rejeté. La Peur d'être jugé.

Tout dans la société et le conditionnement est fait pour vous mettre dans la Peur, car vous avez oublié d'où vous venez.

Vous avez oublié le cœur de toute chose.
La Source. L'Amour.

C'est l'Amour qui est la Source de Tout. C'est l'Amour qui régit le monde. C'est l'Amour qui fait que toute chose peut exister.

Il n'y a que l'énergie de l'Amour qui permet l'existence de toute chose. Or, comme vous l'avez oublié, toute la première partie de votre vie étant régie sur la Peur, vous vous construisez et vous vous inventez une identité fausse, car celle-ci est construite sur une base qui est fausse.

Vous vous construisez sur la Peur et non sur l'Amour.

L'Amour est une énergie Divine. Une énergie pleine, une énergie du Grand Tout, une énergie qui construit. Alors que la Peur est une énergie qui sépare, qui isole, qui vous fait rétrécir.

Plus la Peur prend de la place et régit votre vie, plus votre énergie se réduit jusqu'à s'éteindre complètement. Telle une bougie qui pourrait illuminer le monde, plus la Peur est là, plus la bougie fond et la lumière s'éteint petit à petit.

C'est pourquoi lorsque vous vivez un changement de paradigme, un changement de conscience, une élévation de conscience, vous vivez souvent dans un premier temps un effondrement.

Un effondrement de cette fausse vie dans laquelle vous avez vécu. Un effondrement de toutes les pensées qui sont régies par la Peur. Tout votre monde construit par la Peur s'effondre devant vous et c'est pourquoi vous pouvez sentir des difficultés relationnelles, des difficultés de santé, des difficultés à agir dans le monde parce que dans un premier temps, tout s'effondre autour de vous parce que ce paradigme faussé s'effondre pour laisser apparaître enfin la Vérité et vous permet la première étape du souvenir.

Vous souvenir d'où vous venez. Vous souvenir de qui vous êtes.

Voilà le chemin de l'incarnation.

Dans un premier temps une construction basée sur une énergie fausse qui est la Peur, jusqu'à ce que cette énergie s'effondre et vous arrivez à ce moment-là à retrouver accès à l'Amour. De là, peut renaître, tel un phénix de ses cendres, une nouvelle vision de vous-même, de la Vie et de Ce pour Quoi Vous Êtes fait sur Terre.

Il est très important de vous souvenir de Pour Quoi vous Êtes venus sur Terre, Pour Quoi vous-êtes venus vous incarner et quel est le but de votre mission.

La Terre actuellement est en train de vivre un changement vibratoire très fort. Elle a besoin de Lumière. Elle a besoin d'être réparée.
La Terre se répare d'elle-même, mais pour que ceci ait lieu, il faut que l'être humain se répare aussi lui-même et c'est pour cela que vous

êtes venus vous incarner sur cette Terre.

Si vous lisez ce livre, c'est que vous êtes des travailleurs de Lumière, que vous êtes venus pour réveiller les consciences, pour rappeler à l'humanité d'où elle vient, Pour Quoi elle est là et ce qu'elle est venue faire sur cette Terre.

Vous avez besoin de retrouver la lumière qui est en vous. C'est à dire de retrouver votre côté Unique. De retrouver Votre connexion à la Source. Pour vous souvenir parfaitement de toute Votre mission, de toute Votre énergie et tout votre Être Véritable.

Plus vous serez vous-même, plus vous oserez vous montrer, plus vous oserez incarner l'énergie Divine qui est en vous, plus l'humanité pourra s'éveiller, partir dans la bonne direction, c'est à dire la direction de l'Amour, de l'Évolution, de la Construction, de la Lumière, l'Imagination, la Beauté, et non plus le monde de la destruction, du pouvoir, de l'égo, de la guerre, du malheur et de la haine et de la croyance que vous êtes séparés les uns des autres, comme vous êtes séparé du Grand Tout.

Là est le plus grand malheur de la planète Terre. Elle ne se souvient plus de Pour Quoi elle est là. La planète Terre a besoin de se souvenir de sa fonction, de Pour Quoi elle est ici dans le cosmos. Nous en parlerons plus longuement dans le chapitre 15.

Pour le moment, pour ce présent chapitre, ce dont vous avez à vous souvenir est donc Votre connexion à la Source.

Plus vous allez vous reconnecter à cette connexion, à cette Source, plus vous allez vous souvenir de Ce Pour Quoi Vous Êtes fait. Vous allez comprendre le Grand Tout dans lequel vous êtes.

Vous allez acquérir une vision beaucoup plus globale de la réalité, de vous-même, de votre vie et de votre fonction dans le Grand Tout.

***Comprenez bien une chose,
c'est que la Peur est un leurre.***

La Peur n'existe pas. La peur est une croyance inventée par l'Homme, pour se contrôler lui-même. L'Homme étant déconnecté de la Source, a voulu se reconstruire par lui-même et il s'est reconstruit sur des bases faussées. Car l'Homme, depuis la nuit des temps, se sent séparé de la Source. Il ne sait plus qui il est. Ne sachant plus qui il est, il parcourt chaque pan de sa vie pour essayer de retrouver ou de construire son identité.

Malheureusement, il s'est construit sur des données fausses. Sur des données narcissiques, des données égotiques, des données de pouvoir, de force. L'Homme se croit limité, il se croit unique et il se croit seul.

Ces quelques notions, qui sont pour lui des Vérités absolues font qu'il s'est construit sur des fondations qui sont absolument fausses, qui sont absolument erronées. Il n'a plus conscience que ses perceptions sont erronées. C'est pourquoi le monde va mal, car c'est un engrenage qui ne fait que se reconstruire et c'est un éternel recommencement qui va vers l'échec et la destruction de plus en plus massive.

Mais désormais, depuis déjà un certain nombre d'années, et particulièrement si vous tenez ce livre entre les mains, il y a eu un avancement spirituel fort.

Des êtres venus d'ailleurs sont venus s'incarner sur la planète Terre pour éveiller les consciences. Des êtres de Lumière sont venus ici pour montrer le chemin et la voie.

Alors oui, ces êtres de lumière ont aussi dû se rappeler d'où ils venaient. Car lorsque l'on s'incarne sur Terre, la connexion à la Source est rompue dans la conscience et tout le cheminement est de retrouver cette connexion.

Vous faites certainement partie des personnes qui arrivent à se reconnecter. Vous avez déjà fait un chemin de reconnexion et vous êtes au début de votre voie. Car ce chemin est éternel.

Nous avons besoin de vous, au poste, fidèle à vous-même, dans votre pleine lueur et lumière afin d'aider l'humanité à se relever, s'éveiller et que l'impact mondial et aussi énergétique du point de vue astral, et dans toute la globalité de l'existence, puisse avoir lieu, pour la guérison suprême de la planète Terre.

Nous aimerions que vous compreniez bien que la Peur n'existe pas.

Chaque pensée que vous pourriez avoir qui est faite de Peur, n'existe pas. C'est un leurre, une projection, une invention cérébrale. Une invention de votre mental. Une invention d'une interprétation d'un événement passé. Mais ceci n'est pas la bonne vision.

Changez votre paire de lunettes.

Apprenez à voir les choses avec Amour, Grace, Bonté, Divinité, Joie et Créativité. Vous pouvez tout créer à chaque instant.
Vous pouvez tout transformer.
Par la simple décision et la simple Intention, vous pouvez réaliser autour de vous, ce que vous souhaitez.
Il n'est plus temps de repartir dans les méandres de votre passé, de faire des thérapies en tous genres pour essayer de comprendre la source de vos problématiques. Ceci est un chemin qui est révolu et vous l'avez déjà fait.
A l'époque actuelle, la simple décision, la simple intention, la simple vibration permet de créer dans votre réalité votre nouvelle vision du monde.

Allez vers l'Amour, vers la Joie et vers la Foi.
C'est par ces énergies que vous pourrez avancer.

Plus vous avancerez vers ces énergies, plus vous vous souviendrez d'où vous venez et plus votre connexion à la Source Divine va se développer. C'est pourquoi vos dons se développent. C'est pourquoi votre façon de canaliser se développe. C'est pourquoi vous êtes de plus en plus conscients que vous pouvez communiquer avec les autres par la simple pensée. La télépathie existe.

Vous pouvez faire exister une chose simplement en la créant par votre vibration.

Vous pouvez instantanément attirer à vous la bonne personne, la bonne situation, la bonne occasion pour que votre idée puisse s'inscrire dans cette réalité et dans la matière.
Vous êtes énergie. Quand vous êtes de l'autre côté, c'est à dire non incarné sur Terre, l'énergie pure fait que les choses s'inscrivent dans le temps instantanément.
Vous pensez à cette chose et cette chose apparaît. Vous voulez être à un endroit, en une seconde vous y êtes.
Sur la planète Terre, la vibration est beaucoup plus basse et les choses mettent du temps à se matérialiser.
Il n'empêche qu'à l'époque actuelle que vous vivez sur cette planète Terre, le taux vibratoire ayant augmenté et étant élevé, vous pouvez attirer à vous, beaucoup plus rapidement qu'avant, votre propre réalité. Par la simple pensée et votre simple vibration.
Pour se faire, il faut que votre vibration, la source même de votre vibration soit pure, connectée à la Source. Il faut que votre vibration soit faite d'Amour. Alors, à ce moment-là, les choses se manifestent avec Bonté, Beauté et Amour.
Si vous vibrez la Peur, vous allez attirer la destruction.

Soyez conscient au plus profond de vous-même, de la source de chacune de vos actions, de chacune de vos pensées, de chacune de vos vibrations.

Comprenez que vous n'êtes qu'énergie.

Toute énergie que vous vibrez, se manifeste dans la réalité et le Grand tout qui vous entoure.

Revenez à la Source de Tout qui est l'Amour.

L'Amour est au fond de vous. Revenez dans votre cœur et alors les choses se mettront naturellement en place.

Vous comprendrez que si les choses se mettent naturellement en place, pour la plupart d'entre vous, il n'y aura même plus tellement à faire, il n'y aura qu'à être.

Plus vous serez, plus vous gèrerez votre vibration, plus les évènements se mettront naturellement en place autour de vous et vous verrez que la vie est une danse fluide et facile.

Il n'y aura plus à se battre pour faire exister les choses. Il n'y aura plus qu'à être et à vibrer pour que les choses existent autour de vous.

Ainsi la Peur ne peut plus être puisque vous voyez qu'en vibrant l'Amour, l'Amour se renvoie autour de vous et que les choses se font naturellement.

Vos projets se mettent en place comme il se doit. Vous arrivez au bon endroit au bon moment. Vous avez suffisamment de source financière pour pouvoir œuvrer comme il se doit dans votre direction.

Vous n'avez plus à avoir peur, la Peur n'existe plus.
Arrivés à ce stade de connexion divine, vous n'êtes que vibration d'Amour. La Peur n'existe plus.

Le mot même, devient illusoire et vous ne percevez même plus la définition de ce mot tellement vous êtes sorti de cette matrice pour vous reconnecter à la Source du Grand Tout.

Reconnectez-vous à cette Source et vous comprenez alors que la danse Divine est partout et qu'être sur Terre est une grâce et un instant magique : vous êtes l'heureux élu. Honorez cela et soyez fier d'être incarné sur cette planète pour œuvrer dans la direction qui est la vôtre.

Soyez fier de vous-même. Soyez fier de votre unicité, soyez fier d'être au service du Grand Tout. Soyez fier d'être venu vous incarner pour œuvrer vers l'éveil de l'humanité.

L'humanité a besoin de vous car plus vous serez nombreux à vous montrer et à œuvrer plus cette nouvelle réalité pourra se mettre en place. Vous ne serez plus perçus comme des êtres différents, des êtres fous, vous ne serez plus perçus comme des personnes qui sont complètement déconnectées de la réalité. Car c'est l'inverse. C'est vous qui êtes reconnectés à la Vraie Vérité de Vie.

L'être humain a oublié d'où il vient.

L'être humain vit dans une réalité faussée. Vous êtes là pour le réveiller. Pour amener de la couleur dans cette vie en noir et blanc. Vous êtes là pour réveiller les cœurs là où la tristesse est de mise.

Vous êtes là pour réveiller la joie dans cet état de pensée qui n'est fait que de honte, de dur labeur et de souffrance. Vous êtes là pour réparer les cœurs brisés de chaque être humain. Plus vous serez nombreux, plus l'humanité pourra se relever. Une humanité qui se relève est une victoire immense par rapport au Grand Tout, par rapport à l'impact que cela a d'un point de vue énergétique, vibratoire et dans le cosmos.

Vous ne pouvez prendre conscience pleinement de l'impact de votre vibration actuelle, à cet instant T dans le Grand Tout.

Vous êtes comme une goutte d'eau dans l'océan.
Comprenez bien que la vibration que vous avez là, maintenant tout de suite en lisant ces lignes, a un impact à l'autre bout de la galaxie, des autres galaxies dans le Grand Tout de l'Univers.
Vous ne faites qu'Un avec le Grand Tout.

Faites donc votre part. Vous avez le courage d'être venus ici vous incarner sur la planète Terre, soyez brave, courageux et heureux.

Ce que vous faites est extraordinairement admirable. Et nous, qui sommes de l'autre côté, la Source, nous vous honorons, nous vous aidons, nous sommes là à chaque instant. Nous vous guidons. Nous sommes très heureux de pouvoir vous guider dans votre mission.
Plus vous vous souviendrez, plus la communication avec nous sera fluide, et plus vous pourrez œuvrer dans le bon sens.

Plus vous œuvrerez dans le bon sens, en étant convaincus que nous sommes là, avec vous, pour vous aider, plus vous pourrez œuvrer et faire ce que vous voulez faire et être et vous n'aurez donc plus Peur.

Cette vision de la vie avec la Peur, sera tellement futile. Vous aurez compris que tout ceci est un leurre.
Il n'y a plus à avoir Peur. Il n'y a que le Grand Tout, l'Abondance et nous ferons tout pour vous aider dans votre mission.

Vous n'aurez donc plus de manque, ni de tristesse, ni peur de rien puisque vous comprendrez que vous n'êtes que lumière. La lumière est infinie. Et vous êtes infiniment petit comme infiniment grand.

Et ce Grand Tout qui ne fait qu'un, n'est qu'une danse joyeuse, divine et magnifique. Pouvoir incarner cette énergie, cette danse et cette grâce divine et magnifique, sur la planète Terre dans un petit corps d'être humain est une expérience extraordinaire.

Et vous participez à cette expérience, cet éveil de conscience, c'est extraordinaire.

La planète Terre est la seule planète qui vit cet éveil de conscience, cette transformation, cette transmutation.

C'est un honneur pour vous que d'être incarné ici.
Rappelez-vous, soyez-en conscient et soyez fier.
Avancez divinement sur votre chemin, ne vous retournez pas mais souvenez-vous. Allez vers l'avant et vers la lumière et tout ira pour le mieux. Tout ira bien.

Nous sommes là, avec vous, nous sommes fiers de vous et nous vous envoyons une douce lumière divine remplie d'amour pour vous donner la force et la foi d'avancer sur votre chemin.

Ne vous retournez plus. Allez-y.
Nous comptons sur vous.

- XII -
Le fait d'oser se montrer

COMME VOUS L'AVEZ LU DANS LE PRÉCÉDENT CHAPITRE, LA PLUS GRANDE DIFFICULTÉ EST DE POUVOIR SE RECONNECTER À QUI VOUS ÊTES VRAIMENT.

Une fois que vous commencez à vous souvenir d'où vous venez, il devient évident que vous devez le montrer au monde et l'incarner pour être source d'inspiration et d'élévation de conscience.

Le fait d'oser se montrer

Les pensées erronées vous freinent. Mais bien évidement, puisque vous êtes incarné dans une vie où vous ne vous souvenez plus dans un premier temps, votre cerveau, vos pensées sont bourrées de croyances limitantes, de perceptions erronées.

Il fait partie de votre devoir et de votre chemin d'enlever chacun de ces freins, chacune de ces pensées erronées afin que vous puissiez vraiment mettre en lumière l'Être que vous Êtes Véritablement.

Imaginons que votre devoir est de rayonner et d'être vu aux yeux de

tous. Comme par hasard la vie étant faite de dualité sur cette planète, vous êtes une personne qui peut-être n'a pas du tout envie
d'être vue par les autres. Peut-être que vous n'aimez pas être dans
des groupes, alors que c'est justement la place où vous devez être.

C'est là tout le chemin.

Ce chemin de dés-identification, du fait de sortir de cette matrice, de
sortir de vos croyances erronées, de changer complètement votre
paradigme, demande une force incroyable. Une volonté extraordinaire. Vouloir aller au bout de votre chemin, de pouvoir vous rappeler de plus en plus et ceci vous demande un effort permanent, journalier. Jour après jour, pas après pas, pour pouvoir enlever toutes ces
couches qui sont fausses, erronées, et pour vous donner l'autorisation de devenir pleinement vous-même.
Nous avons besoin et l'humanité entière a besoin de vous à votre
poste. Nous avons besoin de vous, fidèle à votre mission divine.
Oui c'est un chemin de combattant, mais vous avez tout à fait le pouvoir et les capacités de relever ce défi sur votre chemin, de vous souvenir de qui vous êtes.

**Vous pouvez parfaitement transformer vos croyances et vos bles-
sures intérieures pour pouvoir les transcender et devenir Votre
Être Véritable, c'est à dire un être rempli d'amour, de bienveillance et qui n'a plus peur de rien.**

Tout votre chemin de vie, tout votre chemin d'incarnation, la famille
que vous avez choisie, ce que vous avez vécu dans votre vie, toutes
vos blessures sont en fait là pour renforcer votre pouvoir intérieur.
Si vous avez vécu un abandon, c'est pour connaître parfaitement la
vibration de l'abandon. Et pour connaître parfaitement quel est le

besoin d'une personne qui se sent abandonnée.

Ayant vécu cela, vous avez une capacité divine et parfaite, de donner la grâce de l'Amour total à une personne qui vibre l'abandon.

C'est parce que vous avez eu un chemin de vie compliqué que vous pouvez ensuite œuvrer pour l'humanité entière, puisque vous savez ce que c'est qu'être un être humain.

Vous en avez fait l'expérience. Vous avez fait l'expérience de ces visions erronées, de ces blessures, de ces craintes émotionnelles.

C'est parce que vous en aurez fait l'expérience que vous aurez compris la « petitesse », et entendez bien lorsque nous disons la « petitesse » de l'être humain, c'est tout simplement la petitesse de son corps physique. La « petitesse » de son esprit puisqu'il a oublié.

Ce n'est pas péjoratif, c'est juste un constat que l'être humain ayant oublié sa connexion à sa Source, vit dans un monde qui est malheureusement petit énergétiquement et vibratoirement.

Comme vous avez fait cette expérience dans un premier temps, vous comprenez les souffrances humaines. Vous comprenez ce qu'est un être humain. Vous comprenez ce que c'est que de vivre avec ces perceptions erronées.

C'est en ayant vécu cela, en ayant transcendé ces schémas que vous pouvez ensuite être un transmetteur de messages.

Vous ne pourriez éveiller les consciences
sans en avoir fait l'expérience avant.

Si vous êtes des travailleurs de lumière, vous avez besoin d'expérimenter dans la matière la vie d'un être humain, pour pouvoir ensuite l'accompagner. Sinon vous n'auriez pas les mots justes, vous ne connaîtriez pas le chemin par lequel la personne doit passer pour évoluer. Vous ne connaîtriez pas la voie qui mène à l'éveil spirituel, si vous ne l'aviez pas vécu vous-même. C'est pourquoi, bien souvent vous avez des croyances, des souffrances qui vous demandent d'évoluer et d'être transcendées pour pouvoir ensuite œuvrer dans la matière et pouvoir devenir un transmetteur de lumière.

Cela faisait partie du chemin, cela fait partie du Grand Tout. Vous voyez à quel point le Grand Tout est orchestré. C'est une danse magnifiquement divine et bien menée, pour vous permettre d'œuvrer dans la matière comme il se doit.

Rappelez-vous que si vous êtes venus sur Terre, c'est pour réveiller les consciences.

La seule façon d'éveiller les consciences est d'être et d'incarner pleinement votre Être Véritable.

Pour être et incarner véritablement votre Être Véritable, vous devez être connecté à la Source pour connaître l'énergie de l'Amour. Pour connaître l'énergie du Divin. Pour connaitre l'énergie et la connexion au Grand Tout. Vous avez donc besoin d'être connecté à tout ce qui vous entoure. C'est pourquoi vous avez besoin d'être entouré de personnes de lumière, d'Amour, de bienveillance. Vous faites partie d'une chaîne. Vous ne pouvez agir seul, vous avez besoin des autres. Pour œuvrer vous avez besoin d'être accompagné, d'être entouré et vous avez besoin d'être aux yeux des autres pour pouvoir montrer l'exemple. Ensuite montrant l'exemple, vous qui avez avancé sur le chemin de l'éveil spirituel, vous qui commencez à vous souvenir d'où vous venez, plus vous allez l'incarner aux yeux du monde, plus les autres vont se souvenir à leur tour.

Telle une chaine ou une vague de lumière, vous allez vous emmener les uns et les autres vers cet éveil spirituel de plus en plus loin, de plus en plus grand.

Ce sera une véritable spirale positive d'Amour, de joie, d'humanité incarnée sur cette planète. C'est pourquoi vous ne pouvez œuvrer seul. Vous ne pouvez rester dans la matière isolée car vous avez besoin des autres autant que les autres ont besoin de vous.

Ceci est une chaîne.
Vous faites partie d'une chaîne.

La chaîne de l'élévation de conscience. Vous êtes tous unis, vous êtes tous ici ancrés dans la matière, incarnés dans cette mission divine sur cette Terre pour pouvoir œuvrer dans la même direction.

Souvenez-vous que vous ne faites qu'un avec le Grand Tout. Incarnez-le sur cette Terre.

Faites un avec tous les êtres de lumière et tous les êtres qui vous entourent. Faites un avec les animaux. Faites un avec les végétaux. Faites un avec les minéraux. Faites un avec la nature. Aussi bien que vous faites un avec les autres êtres humains.

Plus vous allez retrouver cette connexion divine, plus votre façon de vivre va évoluer et changer. Plus vous allez réapprendre à prendre soin de vous, de Gaïa, de chaque être vivant, de chaque organisme sur cette Terre.

Vous allez vous rendre compte à quel point la planète Terre est malade. Vous allez vous rendre compte à quel point la planète Terre a un cancer. L'humanité toute entière est le cancer de la Terre.

Plus vous allez vous souvenir et redevenir la lumière, plus allez pouvoir guérir ce cancer. Plus Gaïa pourra vibrer comme il se doit.

Gaïa est de toute façon en évolution,
elle le fera avec ou sans vous.

Si elle a besoin d'enlever une partie de l'humanité pour pouvoir évoluer, elle le fera par des catastrophes naturelles, des tsunamis, des tremblements de Terres. De grandes vagues énergétiques qui feront que l'humanité recevra un tri naturel qui se fera naturellement par Gaïa.
Gaïa peut agir seule, mais elle vous aime, elle a besoin de vous. Gaïa aime être avec vous. Elle aime que vous soyez en elle et elle en vous. Elle a besoin de vous autant que vous d'elle.

Alors si vous participez à cet éveil avec elle, de concert, naturellement les choses vont se remettre dans l'ordre et un nouveau monde, un nouveau paradigme pourra se mettre en place, et vous pourrez enfin vivre ce paradis sur Terre.

Car la Terre à la base est faite pour être un paradis. Ce changement de paradigme va permettre au paradis de réapparaître.
Ce sont ces visions erronées, cette Peur, ce manque de connexion à la Source qui font que comme un effet boule de neige, au fil des siècles, l'humanité s'est perdue et est devenue une énergie destructrice.

Revenez vers cette énergie constructive.
Cette énergie faite d'Amour.

Pour cela vous avez à vous montrer au monde. Pour cela vous avez à oser être qui vous Êtes Vraiment. Vous avez à oser lâcher vos habitudes. Oser lâcher vos restrictions. Oser lâcher vos perceptions erronées. Remettez en cause chacun de vos savoirs. Accueillez le fait que vous ne savez peut-être rien. C'est une chance inouïe que de ne plus rien savoir, car si vous ne savez plus rien et redevenez une page blanche alors le Grand Tout est possible.

Laissez-vous conduire par la Vérité divine. Laissez-vous traverser par ces énergies et ces dons que vous avez. Laissez-les prendre place.

Plus vous serez au service du Grand Tout, plus le Grand Tout pourra œuvrer à travers vous. L'humanité pourra retrouver la foi, la connexion au divin.

Ne vous interdisez pas d'être différent.
Vous êtes différent par définition.

Vous ne pouvez être comme on vous demande d'être dans la masse. Vous ne pouvez être un individu « comme » les autres, puisque vous êtes la définition même d'un « individu ».

Si vous venez vous incarner sur Terre, c'est pour apporter votre différence. Pour apporter votre regard sur le monde. Votre sensibilité. Votre connaissance divine. Vous êtes tous différents.

Nous avons besoin de vos différences pour que le Grand Tout puisse enfin œuvrer dans la bonne direction.

Si vous n'êtes plus dans la Peur, alors vous osez vous montrer véritablement.

Soyez un exemple pour l'humanité. Soyez un exemple pour vous-même. Soyez un exemple pour vos enfants. Soyez un exemple pour les futures générations, elles ont besoin de vous.

Plus vous avancerez, plus vous oserez vous révéler, plus l'humanité pourra alors se révéler à elle-même.

Nous répétons les mêmes choses parce que nous voulons que vous compreniez bien ceci : il ne tient qu'à vous d'éveiller l'humanité et cela vous demande d'oser lâcher ces perceptions erronées.

Acceptez et admettez que peut-être votre vision du monde est peut-être fausse. Acceptez que ce vous croyez être n'est peut-être pas la réalité. Acceptez que ce que vous avez fait jusqu'à présent sur Terre, n'est peut-être pas ce que vous devez faire dans votre vie et but d'incarnation. Acceptez de retourner dans le cœur, dans la joie, dans votre vérité pour pouvoir découvrir la forme que va prendre votre vie.

Peut-être ne connaissez-vous pas votre mission, mais en revenant dans votre cœur, votre mission va se dessiner d'elle-même.

Il ne s'agit pas de « décider »
mais de « suivre ».

« Je Suis », du verbe suivre.

Suivez la voie. Suivez le cœur. Suivez vos envies. Suivez la joie. Suivez la vibration d'Amour à chaque instant.

C'est cette vibration d'Amour qui à chaque instant peut permettre à votre vie de s'incarner dans la matière. Vous allez découvrir que votre vie véritable, n'est pas du tout ce que vous pensiez être.

Vous allez découvrir que votre mission d'âme, ne va pas prendre la forme du métier que vous aviez prévu. Vous allez découvrir que c'est beaucoup plus grand, plus beau, plus magique et majestueux. Et surtout beaucoup plus simple.

Laissez-vous découvrir par vous-même.
Laissez la Source vous guider.
Laissez le Grand Tout vous montrer la voie.

Vous savez que vous êtes guidé à chaque instant. Vous savez que vous n'êtes pas seul. Demandez conseil. Demandez de l'aide. Entourez-vous de personnes qui sont déjà reconnectées. Entourez-vous de personnes dont la lumière vous inspire.

Si vous êtes entouré de personnes dont l'énergie stagne, dont l'énergie ne vous permet pas d'être vous-même, dont l'énergie vous ennuie, ne restez pas avec ces personnes.

Osez faire un grand nettoyage. Osez aller de l'avant. Osez découvrir de nouvelles façons d'être, de nouvelles personnes.

Allez là où l'énergie vous donne de l'énergie.
Allez là où vous ressentez la joie.

N'allez pas vers l'énergie basse, écrasante, terrassante et qui vous cloue sur place. En étant statique vous ne pouvez pas être un être de lumière. Un être de lumière ne peut pas être statique par définition. Si vous avez une vie anodine, statique et répétitive c'est que vous n'êtes pas sur le bon chemin.

Réveillez-vous. Rappelez-vous. Vous méritez mieux que cela.

Votre mission sur Terre est une façon de vivre une vie Terrestre absolument magnifique, glorieuse, magique et faite de joie. Votre mission n'est faite que de joie.

Arrêtez d'avoir peur.

Vous avez peur de lâcher une sécurité illusoire par habitude et confort social. Mais ceci est l'autre monde, c'est cette vie en noir et blanc. Vous méritez bien plus. Vous méritez de danser chaque jour. Vous méritez de retrouver votre âme d'enfant. Vous méritez de jouer de tout.

Vous avez déjà la volonté et la grâce de venir vous incarner sur Terre pour éveiller les consciences. C'est admirable de votre part.

En récompense de votre mission, nous vous proposons une vie évidemment joyeuse, facile, glorieuse et faite d'Amour. Ce n'est que de la joie. Ce n'est que de la liberté. Il n'y a aucune raison d'avoir peur puisque votre énergie faite d'Amour va vous faire vivre que de l'Amour, que de la joie et que du bonheur.

Pourquoi ne pas oser s'autoriser une vie faite de bonheur ? Il ne tient qu'à vous de la mettre en place. Il ne tient qu'à vous de le décider.

De prendre ce risque de se dire : « allez, je quitte mon boulot parce qu'il ne me plaît plus et je me lance, sans même savoir où je vais. Je me lance vers la joie. Je me fais confiance. »
Faites confiance, plus vous lâchez et faites confiance, plus nous pouvons œuvrer à travers vous et pour vous. Vous lâcherez ce rapport égotique et ce pouvoir de force. Plus vous lâcherez ce désir de contrôler les choses, plus vous vous laissez recevoir, plus nous pourrons vous envoyez les cadeaux que vous méritez. Nous pourrons vous montrer la voie et œuvrer à travers vous et pour vous.

Laissez cette porte ouverte. Tendez-nous une main ouverte et non un poing fermé. Ouvrez-nous la voie. Afin que nous puissions vous prendre par la main et vous guider vers le véritable chemin.

Lâchez-prise.

C'est pourquoi, souvent, lors d'un éveil de conscience, un moment charnière est fait d'un moment de vie où vous perdez tout. Vous perdez la santé, votre métier, ou des êtres proches. Ce sont des moments où vous êtes perdus et cela est fait exprès pour que vous puissiez choisir la bonne voie.

Choisir l'abandon total, baisser les bras et vous laisser mourir à petit feu ? Ou vous dire : « Puisque plus rien ne marche, je m'en remets à plus grand que moi. »

Si vous prenez cette voie-là, alors tout va s'ouvrir et tous vos dons vont réapparaitre. Votre joie divine et sacrée va pouvoir s'incarner dans la matière à travers votre corps et votre vie. Vous allez pouvoir faire l'expérience de la magie suprême, divine, l'Amour Divin dans l'incarnation de la planète Terre. C'est extraordinaire à vivre. Vous n'avez pas conscience de l'honneur que c'est que d'être vivant sur Terre. Vous l'avez oublié mais c'est extraordinaire d'être là. Prenez-en conscience.

C'est extraordinaire d'être en vie sur cette planète Terre qui est en pleine mutation. C'est une expérience extraordinaire.

Soyez plein de gratitude pour cela. Soyez reconnaissant pour cette vie divine que l'on vous offre, que vous vous offrez.

Vous avez décidé de le vivre puisque vous êtes venus vous incarner.

Sentez-vous ces cellules qui vibrent à chaque mot que vous lisez actuellement ?

Ces cellules qui vibrent sont la gloire de Dieu. Ce sont des applaudissements de là-haut, venant de votre âme, de votre énergie, de votre vibration.

Souvenez-vous de Pour Quoi vous êtes là.

Vous êtes là pour être heureux. Vous êtes là pour être joie. Pour montrer que la vie peut être faite de joie et de bonheur.

Plus la vie sera faite de joie et de bonheur, plus l'humanité pourra s'éveiller. La joie et le bonheur revenant sur cette planète Terre, elle ne sera plus malade mais guérie par vos soins grâce à l'amour et la grâce divine.

N'ayez plus peur de vous montrer.

Soyez vous-même. Osez voir grand. Osez voir joie.

Osez suivre la voie divine et sacrée qu'il vous est demandé de vivre.

Osez. Osez être vous-même. Osez dire les choses.
Entourez-vous de personnes qui pensent comme vous. Pour que vous puissiez vous exprimer avec plus de facilité.

Entourez-vous de personnes qui vous soulèvent, qui vous maintiennent debout, éveillés car oui, votre chemin est une vie d'éveil. Entourez-vous d'éveil.

*Il est l'heure de se réveiller, c'est à vous de jouer.
Nous comptons sur vous.*

- XIII -
Oser faire des choix

OUI, VIVRE UNE VIE D'INCARNATION, OÙ L'ON
EST LÀ POUR TRAVAILLER LA LUMIÈRE, DEMANDE
D'ÊTRE CAPABLE DE FAIRE DES CHOIX.

*Décidez de la voie que vous voulez suivre. Décidez de la vie que
vous voulez mener. Voulez-vous aller vers la perte ou vers la joie ?
Voulez-vous baisser les bras ou être un guerrier de lumière qui
réussit sa mission ?*

Oser faire des choix

Ce n'est certainement pas la première fois que vous êtes venus vous incarner sur Terre, incarner votre mission. Peut-être avez-vous déjà échoué, que vous êtes déjà revenus ou que vous avez déjà réussi, peu importe. Ce qui compte est votre vie actuelle et ce que vous en faites.

Comprenez qu'être au service du Grand Tout, c'est être au service de vous-même. C'est prendre soin de vous.

C'est vous autoriser à vive la vie que vous souhaitez. Alors oui la vie que vous souhaitez vous demande de faire des choix. Puisque cela demande d'abord d'apprendre à dire non.

D'oser changer les choses. D'oser faire des choix. De choisir les personnes que vous fréquentez. De choisir où vous souhaitez vivre. De choisir le métier que vous souhaitez faire. De choisir les activités de votre temps. De choisir le type de santé que vous voulez avoir. C'est un choix.

Chaque acte de votre vie est fait de choix.

Tout ce que vous faites est dû à un choix. Que choisissez-vous ? Choisissez-vous d'être lumière ? Amour ? Ou Peur ? Que choisissez-vous ? Chacun de vos pas, chacune de vos actions. Rappelez-vous la source de votre vibration. D'où vient-elle ? Quel choix faites-vous ? Osez-vous vous donner les moyens de vivre la vie qui vous fait rêver et vibrer ? Osez-vous quitter ce partenaire avec qui cela ne fonctionne plus ? Osez-vous dire à votre famille ce que vous pensez réellement ? Osez-vous être vraiment vous-même ? Osez-vous quitter et lâcher des choses pour pouvoir en créer d'autres qui vous conviennent mieux ?
Tous les choix que vous faites, sont des choix de conscience.

Autorisez-vous à vivre la vie de vos rêves.
Qu'avez-vous à perdre ?

Si vous êtes déjà perdu dans une vie qui n'a pas de sens, vous n'avez rien d'autre à perdre que de vous retrouver, pour aller dans la bonne direction et le bon sens.
La vie n'est faite que de choix. Vous avez sur cette planète Terre la liberté de toucher au libre-arbitre. C'est justement ce libre-arbitre qui est testé et mis à l'œuvre au travers de cette transformation. Vous avez le choix d'être dans la lumière ou dans l'ombre. Vous avez le choix d'être dans l'Amour ou dans la Peur. Vous avez le choix de

faire ce que bon vous semble.

Vous pouvez refuser certaines choses mais vous connaissez la loi de cause à effet. Selon les choix que vous faites, les conséquences peuvent être admirables ou terribles.

Il est de votre responsabilité, vous avez l'honneur, de pouvoir faire l'expérience du libre-arbitre. Ce libre-arbitre est un combat dans un premier temps envers vous-même. Allez-vous être comme le petit enfant qui veut décider par lui-même si l'on doit aller à gauche ou à droite ? Ou allez-vous être un enfant qui suit ce que les parents recommandent puisqu'ils ont une vision plus globale de la réalité ? Les parents ont une vue d'ensemble que l'enfant ne peut percevoir. Il en est de même pour vous.

Vous êtes un enfant de Dieu, de la Source. Dieu a la vision d'ensemble. Dieu sait ce qui est bon. Dieu connait la direction. Dieu sait vers quel chemin chaque pas est mené.

Vous ne pouvez avoir cette vision d'ensemble en étant incarné sur Terre. Vous êtes bien trop petit pour le savoir. Et vous n'avez pas à le savoir. C'est pourquoi la foi est si importante. Si vous avez foi au Grand Tout, en l'humanité, en l'ordre cosmique, vous ne pouvez alors que suivre la voie que le Grand Tout vous propose. Vous savez que vous avez tout à y gagner. Et ceci, dépend simplement de votre choix. Votre libre-arbitre.

Vous pouvez décider de votre rythme. Vous pouvez décider si vous voulez, oui ou non, suivre une voie ou une autre. Vous pouvez décider si vous voulez le faire maintenant, ou si vous voulez faire une pause ou la reprendre. Vous êtes libre. Cela ne tient qu'à vous.

Comprenez que nous, qui sommes la Source, nous vous aimons infiniment et nous avons une confiance absolue en vous.

Vous faites « l'expérience de »,
c'est pourquoi vous avez votre libre-arbitre.

Comme l'image d'un parent qui voit son enfant, il lui fait confiance et voit son enfant avancer dans la vie et faire des expériences. Se cogner, se tromper... apprendre, pour savoir qui il est vraiment.

Nous sommes pareils avec vous. C'est de l'amour que nous vous envoyons au travers de ce libre-arbitre. C'est à vous d'en faire bon usage, d'en prendre soin.

Le libre-arbitre est un grand pouvoir et une grande reconnaissance de notre part pour vous envoyer de l'amour. Nous vous aimons suffisamment pour vous faire confiance.

Qui voulez-vous être ?
Quelle image voulez-vous donner ?
Quel exemple voulez-vous incarner ?

Quels que soient vos choix, vous êtes un exemple pour le reste du monde. N'oubliez pas que vous n'êtes jamais seul et que l'on vous voit à chaque instant.

Que voulez-vous montrer ? Qui voulez-vous être ?

Vous commencez à comprendre aussi que la vie ne s'arrête pas quand vous mourez. Elle se transforme et continue de l'autre côté. Les choix que vous faites actuellement auront un impact sur la suite, de l'autre côté.

Tout ceci est infini. Vous n'êtes qu'une énergie infinie qui se transforme au fil du temps.

Tout ce que vous vivez, expérimentez, fait partie de vous intrinsèquement. Même si vous ne savez pas qui vous êtes au plus profond. Il n'y a pas de définition de qui vous êtes. Vous n'êtes qu'une énergie. Vous n'êtes que transformation.

L'identité est une notion inventée
par l'Homme.

Celle-ci n'existe pas de l'autre côté. Celle-ci n'existe que dans la matière pour pouvoir mettre une définition, mais la définition n'Est pas lorsque l'on est dans la Source. Vous êtes relié au Grand Tout.

Chaque choix que vous faites, chaque décision, chacun de vos pas influencent le Grand Tout. Vous faites partie du Un.

Quel choix faites-vous ? Quel choix faites-vous pour vous-même ? Quelle vie avez-vous envie de vivre ? Vous avez l'opportunité d'expérimenter la vie Terrestre. Quel type de vie avez-vous envie ? Quels cadeaux allez-vous vous offrir ?

Vous êtes maître de votre destin et de votre vie.

Bien sûr vous avez une mission et l'on attend des choses de votre part, si vous souhaitez la refuser, vous le pouvez. Evidemment, il y a la loi de cause à effet. Et vous connaitrez les conséquences une fois que vous les aurez vécues.
Vous savez tout cela au fond de vous.
Quel est votre choix ? Que décidez-vous ?

Ayez le courage de faire des choix. C'est à vous de choisir. Ce pouvoir est entre vos mains. Quoi que vous choisissiez, sachez que nous vous aimons, nous vous respectons mais n'oubliez pas la loi de cause à effet.

C'est à vous de choisir. À vous d'entreprendre. À vous de choisir la voie que vous souhaitez suivre. Ceci est entre vos mains.
Nous n'avons pas plus à vous dire sur ce sujet, nous souhaitons que

vous soyez vous-même maître de vos choix.

Prenez un temps de réflexion. Faites le point.
Et posez-vous ces questions :

Que choisissez-vous ?
Que choisissez-vous d'être ?
Que choisissez-vous de vivre ?

- XIV -
Oser s'assumer

OSER S'ASSUMER CE N'EST PAS SEULEMENT OSER MONTRER AU MONDE QUI VOUS ÊTES RÉELLEMENT.

C'est avant tout, vous laisser découvrir par vous-même : la personne que vous avez oublié que vous étiez. Autrement dit, oser s'assumer, c'est oser se laisser bercer par le doux sourire de la joie et de l'envie. C'est oser vivre un quotidien sans savoir de quoi il sera fait. C'est oser suivre la grâce de l'instant. L'envie du moment. Sans chercher à comprendre.

Oser s'assumer

Cela demande d'avoir un espace et une liberté totale de votre être, de votre temps et de votre vie. C'est en passant par ce déconditionnement total que vous serez apte à être à l'œuvre parfaitement.

Pourquoi croyez-vous que vous êtes si nombreux à ne plus vouloir travailler dans des entreprises ?

Vous êtes de plus en plus nombreux à vouloir être à votre compte. A créer vos propres équipes. A inventer vos propres métiers. Pour pouvoir incarner votre propre mission.

Tout ceci se dessine parce que vous avez osé faire un choix. Oser prendre le risque de quitter le monde matérialiste.

Oser s'assumer, c'est oser vivre la vie du quotidien
d'une manière totalement nouvelle.

Ce n'est plus un quotidien fait d'une organisation prévue à l'avance, fait avec votre tête. Mais simplement suivre l'envie du cœur. Suivre l'inspiration. Tel un danseur qui suivrait le mouvement de son corps et son envie et non tel que le chorégraphe le demande.

Plus vous allez retrouver ce mouvement intuitif en vous, plus vous allez vous laisser bercer par cette grâce divine, plus vous allez découvrir qui vous êtes réellement et quelle forme doivent prendre les choses dans votre vie.

C'est pour cela que cet état de réceptivité est si important. Vous n'êtes plus au contrôle. Vous ne vous posez même plus la question de savoir ce que vous allez faire ou être. Vous allez être dans cette joie de le découvrir à chaque instant.
Comment mon être véritable agit en cet instant ? Comment mon être véritable va remplir cette journée ? Comment mon être véritable va faire en sorte que ce projet existe ? Vous allez être dans une découverte permanente. De celui qui conduit vous allez devenir le passager. C'est vous qui faites en sorte que la voiture avance, mais vous n'êtes plus au volant. Pour autant, par votre intention, c'est vous qui menez la voiture vers un objectif posé, mais c'est votre intuition qui tient le volant et qui décide du chemin pour l'atteindre. Voyez-vous la nuance ? Vous décidez de l'objectif et vous laissez la vie vous montrer le chemin. Si vous décidez d'être l'Être Véritable que vous êtes, vous ne pouvez connaître à l'avance la forme qu'il prend.

Laissez-vous traverser par la vie pour qu'elle vous montre Qui Vous Êtes Réellement. La vie ne pourra vous le montrer que si vous décidez et posez l'intention.

En posant cette intention, à ce moment-là, la vie entre en jeu et nous, là-haut, nous les guides, nous pouvons plus facilement vous montrer la voie puisque vous êtes vous-même plus facilement à l'écoute, dans cet état de réceptivité. Dans cette danse joyeuse avec la grâce divine.

C'est un changement total de paradigme.

C'est un changement total de façon d'être. Un changement total de vivre votre vie. Vous suivez la vie et c'est à partir de ce moment-là que vous pourrez dire : « Je suis »
Paradoxalement, en disant cela, vous pourrez aussi affirmer : « Je ne suis pas la personne que je croyais être. »
Je ne suis pas ce petit individu incarné dans la matière, qui travaillait dans telle entreprise. Je ne suis pas la mère de tel enfant. Je ne suis pas le mari de cette femme.
Pas seulement.
Je Suis. Je suis lumière.
Je suis bien au-delà de cela.

Vous comprenez que cette vie Terrestre n'est qu'un jeu. N'est qu'une forme parmi tant d'autres mais elle n'est pas la réalité suprême.

Ayant conscience de cela, vous êtes libéré de tous les freins, de toutes les peurs et de tout ce qui limite l'être humain.
Vous devenez conscient que vous êtes une énergie lumineuse venue s'incarner dans un corps humain.
C'est à ce moment-là que vous vous reconnectez à votre Être Profond. Votre âme dans sa Totalité. Votre Moi Supérieur. Vous vous reconnectez à vos guides, à votre mission. Peut-être même, vous vous souvenez d'où vous venez réellement. D'une autre planète, d'une autre galaxie, de la lumière.

Vous êtes-vous déjà incarné sur Terre ?
Est-ce votre première vie ?

Tout cela va réapparaître à vous. Et même si cela ne réapparait pas, peu importe, vous n'avez pas besoin de savoir en conscience. Vous avez juste besoin de vous souvenir en étant. De vous souvenir en disant : « Je suis ».

Votre corps a la mémoire. Votre énergie sait. Plus vous allez suivre cette énergie, plus votre savoir véritable va pouvoir réapparaitre.

Ce n'est pas savoir avec la tête, c'est savoir avec vos cellules. Savoir avec votre vibration. Savoir avec votre instinct. Savoir avec votre intuition. Ce sera un savoir être qui ne sera ni contrôlé, ni réfléchi. Juste un savoir-être qui se laisse œuvrer.
Croyez-vous qu'une fleur qui fait pousser ses pétales, le fait avec le mental ? Elle le fait car elle se laisse traverser par l'énergie de la vie. Elle sait le chemin. Elle sait quand elle doit faner. Elle sait quand ses feuilles doivent pousser. Elle sait. Quand nous disons, elle sait, elle ne le sait pas forcément en conscience, elle ne sait pas avec un mental ou une tête, elle sait par son être.

Redevenez la fleur que vous êtes. Lâchez votre mental. Revenez à l'état d'être pur. L' « Être » humain. Et non pas, un « mental » humain. Revenez dans l'être.

De par ce chemin, vous découvrirez que la vie va fleurir autour de vous. Vous découvrirez à quel point les choses sont plus simples. Vous découvrirez qu'il n'y a rien à comprendre, car c'est bien trop complexe pour le comprendre.
Chaque pas vous amène vers le souvenir de la lumière mais plus vous

avancerez, plus vous saurez que vous ne savez rien. Vous n'avez pas besoin de savoir. Vous avez juste besoin de suivre, d'être à l'œuvre et de faire confiance.

Faites confiance et agissez comme cela. Tout se dessinera, tout seul. Vous le savez au fond de vous.

Vous retrouverez cette grâce divine quand vous aurez osé lâcher ce mental et cette croyance que vous pouvez maîtriser les choses. Quand vous comprenez que ce n'est pas vous qui « maîtrisez » mais que vous êtes « agi par », à ce moment-là, vous lâchez-prise et vous vous laissez être par l'énergie. La grâce arrive enfin à s'incarner à travers vous et donc sur Terre.

Laissez-vous œuvrer. C'est tout ce qui vous est demandé.

Si vous avez des contre-indications, si cela vous révolte, si vous avez envie de décider par vous-même, bien sûr vous avez votre libre-arbitre. Vous allez vite comprendre que vous n'êtes qu'à une étape du chemin. Arrivé à un stade plus avancé, vous comprenez que ce n'est pas vous qui construisez le chemin. Il est déjà construit et il est fait pour vous.

Vous n'avez pas besoin de construire votre propre chemin, vous avez juste à le suivre. C'est beaucoup plus simple, facile, harmonieux et amusant ainsi.

La vie est légère.

Plus vous serez dans la légèreté, plus cela s'incarnera dans la matière, plus la joie sera là et plus le monde sera joyeux.
La Terre pourra retrouver sa capacité à respirer. A vivre et à être

joyeuse. C'est simple. Beaucoup plus simple que vous ne le pensez. Oui vous pourrez dire : « c'était juste cela ? » Oui c'est juste cela. Vous aviez juste à redevenir dans l'être. Tout ce chemin pour pouvoir revenir dans l'être. Incarner dans la matière ce que vous avez à être. C'est un cadeau.

Laissez-vous bercer par ce cadeau. Laissez-vous transcender par ces joies. Laissez-vous œuvrer. Laissez-nous œuvrer à travers vous. Laissez-vous.

Laissez-vous être. Oubliez tous ces conditionnements, ces phrases dans vos têtes qui vous disent qu'il faut faire ceci, qu'il faut être là-bas, qu'une bonne personne est comme ceci. Lâchez tout cela. Laissez-vous tranquille.
En vous laissant tranquille, vous pourrez enfin redevenir l'enfant créatif que vous êtes. Un enfant ne peut pas jouer totalement, s'il est tout le temps surveillé, regardé et contrôlé. Lâchez l'adulte qui est en vous, qui vous contrôle et qui vous limite.

Laissez-vous surprendre. Envolez-vous.

Croyez-vous qu'une chenille connaisse déjà la couleur de ses ailes ? Elle les laisse être. Elle les découvre en volant. Ce sont les autres qui lui disent « Regarde, tes ailes sont de telle couleur. » Mais le papillon, lui, ne cherche qu'à voler. Il ne cherche pas à contrôler la couleur de ses ailes. Faites-en donc de même.

Laissez-vous vous envoler vers vous-même et ne cherchez pas à vous contrôler ou limiter.

La vie est beaucoup plus grande et puissante que vous ne puissiez l'imaginer. Vous ne pouvez concevoir la grâce divine. Vous ne pouvez prévoir à l'avance de quoi votre vie sera faite. Ce n'est pas ce qui vous est demandé.

Laissez-vous être. Osez être vous-même. Osez vous montrer à vous-même.

Vous verrez que c'est un présent magique, magnifique et vous en serez pleinement reconnaissant. Vous serez dans l'énergie humble de recevoir qui vous êtes et non plus de vouloir le construire.
Être humble est l'une des clés pour pouvoir œuvrer. C'est l'énergie naturelle de l'Amour. L'Amour est humble et puissant à la fois.

Soyez Amour.
Soyez vous-même.

- XV -
Quelque chose de plus grand est en marche

VOUS ÊTES EN TRAIN DE VOUS RAPPELER QUE VOUS ÊTES CONNECTÉ À LA SOURCE, QUE VOUS N'ÊTES PAS SEULEMENT CETTE IDENTITÉ TERRESTRE MAIS BIEN PLUS QUE CELA.

Votre âme est elle-même divisée en différentes parties et elle vit différentes vies au même moment. Ce que vous vivez ici, sur la planète Terre, n'est qu'une infime partie de l'entièreté de votre âme. Plus vous allez vous souvenir, plus votre taux vibratoire va s'élever, plus vous allez accompagner cette guérison de Gaïa et avancer vers votre éveil spirituel.

Quelque chose de plus grand est en marche

Vous allez pouvoir vous souvenir de toutes vos capacités.
Vous êtes bien plus que vous ne l'imaginez. Vos pouvoirs sont bien plus grands. Vous avez des capacités infinies. Toutes vos perceptions, ce que vous croyez être, ne sont qu'une infime partie de la réalité. La réalité est bien plus grande, bien plus complexe, bien plus magique que vous ne pouvez l'entendre.

Plus vous allez vous souvenir de tout cela, plus vous allez entrer en connexion directe avec toutes vos vies simultanément.

Cet éveil de conscience que vous êtes en train de vivre, cette guérison que la planète Terre est en train de ressentir, tout ceci est une expérience extraordinaire.

Ce n'est pas la première fois que cela arrive mais cette étape est révolutionnaire car elle va impacter tout le cosmos dans son entièreté. Nous le redisons, chacune de vos vibrations à chaque instant influence le Grant Tout. Vous faites partie du Grand Tout et ce que vous faites influence le Grand tout aussi bien que le Grand Tout vous influence.

Tout ce que vous vivez, les rencontres que vous faites, les endroits où vous allez, tous ces « hasards » heureux, ne sont effectivement pas anodins.

Durant la nuit, vous ne faites pas que dormir, votre âme voyage pour aller chercher des informations. Vous allez chercher auprès de vos guides, auprès de vos savoirs, auprès de toute la galaxie, de tout l'univers et du Grand Tout, des informations pour vous permettre de vous rappeler.

Pour vous permettre de vous souvenir de qui vous êtes et de comment mener à bien votre mission et de ce que vous avez à faire chaque jour ici sur Terre pour éveiller les consciences : apporter de l'amour, de l'harmonie, de la guérison pour le bien-être de l'humanité et du Grant Tout.

Actuellement la planète Terre est train de vivre une expérience extraordinaire et vous êtes en train de changer de taux vibratoire. La planète Terre se transforme, se transmute.

Cette expérience est rare et unique et elle n'arrive que très rarement. Vous avez l'honneur de pouvoir le vivre consciemment et concrètement en étant incarné sur Terre.

***Sachez que de nouvelles informations
vont être divulguées.***

Sachez que votre taux vibratoire va évoluer. Sachez que votre réalité ne va faire que se transformer. Vous n'êtes qu'au début du chemin. De grandes révélations vont arriver à vous. Votre monde va littéralement changer car vous êtes en train d'entrer dans le nouveau monde. Ce nouveau monde du Tout est Possible. Ce nouveau monde où vous vous souvenez d'où vous venez. Ce nouveau monde en connexion directe avec la Source. Des êtres d'autres réalités vont venir encore s'incarner mais sous de nouvelles formes. Vous allez entrer de plus en plus en communication avec le monde des esprits, avec le monde de la Source, avec des univers parallèles, avec des extra-terrestres. Tous les films de science-fiction que vous avez vus, n'ont été que des messages qui ont commencé à planter une graine dans votre esprit pour vous dire que oui c'est possible et ceci va devenir une réalité. Ceci va devenir la vie future que vous allez vivre. Vous allez pouvoir le vivre sur la planète Terre.
C'est un changement de paradigme incroyable et extraordinaire.

Plus vous serez nombreux à ré-accéder à ces informations, plus vous pourrez le vivre en conscience, avec bonheur, foi, joie, amour et humanité.

Si vous ne faites pas le chemin, si vous n'arrivez pas à évoluer assez rapidement, les conséquences vont être désastreuses. Les souffrances vont être terribles et le tri naturel va devoir être fait par Gaïa.

N'ayez pas peur vous êtes en sécurité.

Nous vous disons tout cela simplement pour faire un électrochoc pour vous rappeler, vous souvenir, et que vous vous sentiez honoré de vivre cette expérience extraordinaire.

Ce changement de conscience, de paradigme peut paraître nouveau dans un premier temps mais en réalité, lorsque vous allez le vivre, vous allez le ressentir comme un souvenir. Vous allez avoir la sensation de vous retrouver.

Vous vous direz : « Enfin, je me retrouve. J'avais oublié mais ça y est je me souviens ! »

Vous allez vous retrouver reconnecté pleinement et totalement à la Source de plus en plus.

Chacun, pas à pas, à chaque minute de votre vie.

Vous allez vous sentir soulagé. Vous allez ressentir cette vague divine d'Amour, de joie, de volupté. Cette connexion à la Source n'est que joie et bonheur.

Cet amour inconditionnel que la Source vous permet de ressentir, vous allez pouvoir le ressentir de façon incarnée sur Terre.

N'ayez pas peur de tous ces changements, de toutes ces transformations qui arrivent à vous, de toutes ces nouvelles visions du monde qui vont se dessiner petit à petit, à votre rythme, chacun en son temps.

Nous veillons à ce que le confort soit là. Nous veillons à ce que vous le viviez avec le plus de foi et de joie. Nous veillons à ce que vous n'ayez pas peur puisqu'il n'y a pas de peur à avoir d'être vous-même, ni de vous souvenir de votre grande réalité.

Vous souvenir de Qui Vous Êtes Vraiment.

Vous allez chacun à votre rythme, ré-accéder à ces informations. Plus vous y accéderez, plus cela deviendra réel et concret dans votre réalité. Vous allez réellement et littéralement vivre sur cette planète dans différentes réalités.

Chaque être humain aura accès
à des réalités différentes.

C'est un nouveau paradigme, de nouvelles informations, une nouvelle façon de voir le monde et de le vivre sur cette planète Terre. Tout est interconnecté et inter-relié.
Alors oui, il va y avoir des séparations. Ceux qui ne sont pas prêts à le voir, à l'entendre et qui n'ont pas fait le chemin vous prendront pour des fous. Ils ne comprendront pas, ils seront perdus. Votre devoir, le fait d'être placé ici sur Terre, sera de les aider à se souvenir. D'aider le plus de personnes possibles afin d'éviter le coup fatal.
Ces âmes qui ne vont pas comprendre ce qui se passe vont vivre dans la Peur. Elles vont être déboussolées, terrassées, tétanisées. Elles ne vont plus rien comprendre. C'est pour quoi vous êtes là.

De par votre lumière, votre amour, votre bienveillance, votre douceur, vous allez pouvoir chacun les rassurer, les guider et les amener vers la voie. La voie de la « Réalisation », la voie du bonheur, la voie de la concrétisation suprême et la voie de la réalisation de dieu.

Vous allez comprendre comme par magie tout le sens de l'univers ou du moins en partie. Vous allez comprendre pourquoi vous êtes là. Vous allez comprendre quelle est votre mission. Vous allez vous souvenir d'où vous venez, qui sont vos guides, pour quoi vous êtes là et de quelle manière œuvrer.

Tout ceci va être extraordinairement magique et se mettra en place tout seul. Vous n'avez qu'à suivre, suivre vos intuitions et suivre vos intentions. Suivez la voie, suivez le chemin.

Ce livre est là pour vous rappeler et faire un électrochoc. Car il est temps, c'est maintenant, vous allez le vivre et c'est imminent.Si vous lisez ce livre, c'est que vous allez le vivre ou que vous êtes déjà en train de vivre ce changement de paradigme.

C'est pourquoi vous avez besoin d'être en conscience. Nous comptons sur vous pour que chacun d'entre vous qui lisez ce livre, entrez en action dans vos propres missions. Avec votre façon de faire pour pouvoir éveiller les consciences à votre tour pour que ces consciences elles-mêmes puissent se réveiller et éveiller à leur tour d'autres consciences pour qu'enfin la chaîne et la libération puissent avoir lieu et que la planète Terre puisse enfin se régénérer, se reconstruire et se redistribuer d'elle-même.

Toutes ces peurs sur le changement climatique sont fausses. Laissez faire Gaïa. Vous n'avez pas idée de ce qui va arriver pour vous. Ce qui va se passer va être pour votre bien, cela va être du bonheur. Cela va être une transformation extraordinairement fluide et magique. Il y aura des destructions massives, il y aura des morts, il y aura des transformations, mais arrivé à un tel stade, vous savez que la mort n'est pas une fin mais une transformation.

Comme vous aurez accès aux différentes réalités, vous aurez accès à ces différentes entités et vous pourrez collaborer et reconstruire ce monde au travers de ces différentes réalités qui vont venir s'incarner sur la planète Terre.

Plus ces différentes réalités vont s'incarner, plus vous allez comprendre et vous souvenir que ces réalités vous les avez déjà vécues dans d'autres mondes, d'autres galaxies, sur d'autres planètes et dans d'autres vies.

*Tout ce que vous allez voir réapparaitre
ne sont que des souvenirs.*

Vous êtes en train de vivre ce changement de paradigme extraordinaire pour devenir les être de lumière que vous êtes dans votre totalité.

Accueillez cela, c'est une joie suprême, une grâce divine. Vous allez le vivre en conscience et avancer à votre rythme, chacun, pas à pas avec douceur, harmonie, fluidité et détermination.

L'heure est venue, il est temps. Vous êtes en train de le vivre. Vous le savez. Vous êtes de plus en plus nombreux à divulguer ces informations cosmiques. Vous êtes de plus en plus nombreux à vous réveiller, à vous trouver.

Avez-vous constaté à quel point toutes vos relations récentes, vos rencontres récentes, vous le dites vous-même ne sont plus le fruit d'un « hasard ». Lorsque vous le dites c'est un mot clé entre vous, comme pour vous reconnaître et dire : « regarde c'est le chemin que Dieu a emprunté pour nous permettre de nous retrouver »

Vous vous reconnectez à vous-même, à vos familles d'âme, à vos amis, à vos êtres, à vos anciens. Toutes ces personnes inclues dans la réalité et dans le monde spirituel sont en connexion avec vous pour vous aider à œuvrer comme il se doit et à aller dans la pleine puissance de la lumière qui est la vôtre.

Continuez à avancer avec foi et détermination. N'oubliez pas l'Amour. L'Amour est le plus important. L'Amour est la seule énergie subtile et nécessaire pour votre avancée et pour vivre cette incarnation Terrestre. Avancez vers cela.

Nous avons de nombreuses surprises pour vous.
De nombreux cadeaux pour vous.

Vous avez réussi à passer le cap. La planète Terre est en train de se guérir. Vous avez réussi à passer le jugement.

Le Conseil a validé la guérison de la Terre. Vous avez réussi. Oui, Être de lumière, votre combat ne fait que commencer, mais il a déjà commencé depuis longtemps et vous avez réussi à passer un palier.

La Terre va être sauvée. L'humanité va évoluer. Vous êtes sauvés. Vous êtes allés dans la bonne direction. Soyez fiers. Brandissez, soyez dans la joie et la victoire de danser cette énergie divine qui est en pleine transformation. Vous avez réussi à passer le palier et à dépasser cette masse et cette énergie négative qui allait dans la destruction.

Ce nouveau monde est en train de revivre. Vous y êtes, c'est une victoire, une joie, du bonheur !

Il n'y a que du bonheur à vous souvenir de qui vous êtes. Être heureux de redevenir qui vous êtes. C'est extraordinaire. Vous n'avez pas encore conscience de tout ce qui va arriver, mais vous n'avez pas besoin de le savoir à l'avance.

Vous aurez chacun accès aux souvenirs, les uns après les autres. Dans un temps qui sera juste pour vous, pour votre corps, votre psyché et juste par rapport à votre mission.

N'oubliez pas que le Grand Tout est parfaitement orchestré et qu'il sait ce qui est juste car il a la vision d'ensemble. Vous êtes à votre poste, vos dons réapparaissent au bon moment. N'allez pas trop vite mais suivez votre rigueur.

Chacun d'entre vous allez vous souvenir au bon moment, laissez-nous faire. Ne cherchez plus à contrôler. Laissez-vous être, laissez-vous guider.

Partez pour ce grand voyage. Laissez-vous transcender. Vous allez voir, c'est absolument magique et magnifique.

Nous sommes très fiers de vous. Nous sommes très heureux de vous annoncer la victoire. Gaïa est sauvée. La victoire est là. Continuez d'œuvrer afin que cette direction puisse persister et impacter l'univers et le Grand Tout.

Vous avez réussi.
La victoire est là.

Vous avez mené ce combat sans en avoir forcément conscience, vous étiez déjà en train de le faire. Votre inconscient le savait, d'autres parts de votre âme le savaient. Même si votre conscience Terrestre n'est pas au rendez-vous, ce n'est pas grave car d'autres parts de vous savent. La seule chose à faire, quel que soit votre niveau de conscience, vos croyances, c'est de continuer d'aller vers la joie, vers le bonheur et vers la foi.

Soyez heureux. C'est tout ce que nous vous souhaitons et vous demandons. Soyez conscient du bonheur. Plus vous serez dans le bonheur, plus la joie sera là, plus la guérison pourra œuvrer dans la matière.

Vous êtes des êtres lumineux. Osez-vous une vie de lumière.
Soyez confiants et heureux. Nous avons énormément de cadeaux.
Continuez ainsi et recevez.
Recevez.
Recevez.

Soyez heureux et fier de recevoir.
Il n'y a rien d'autre à faire.
RECEVEZ.

- XVI -
Des dons vont se reveiller

VOUS FAITES VOUS-MÊME L'EXPÉRIENCE
ACTUELLEMENT DE L'ÉVEIL DE VOS DONS.

Que ce soit par la claire-voyance, la claire-audience, le clair-ressenti, les
régressions, les voyages astraux, les rêves prémonitoires, la télépathie,
la téléportation, la lévitation, la méditation, l'hypnose régressive, le
nettoyage karmique, les souvenirs interstellaires... tout ceci ne sont que
des prémices des dons qui vont apparaître dans votre réalité Terrestre.

Des dons vont se reveiller

Vous n'êtes qu'au début et aux prémices de l'accueil de toutes les perceptions que vous pouvez avoir.
Puisque vous êtes tout, puisque vous êtes Lumière et que vous avez accès à tout, vous pouvez tout être et tout faire.

Ce qui est extraordinaire c'est que ces capacités vont de plus en plus s'incarner dans la matière et vous allez de plus en plus pouvoir retrouver vos dons réels.

C'est une chance inouïe que d'avoir ces dons.

Certains d'entre vous ont passé plusieurs années à ne pas oser suivre ces dons, à les oublier, les occulter ou à les blâmer de peur d'être jugés par le regard de la société et de la norme.

Aujourd'hui vous ne pouvez plus faire autrement, vous avez remarqué que si vous ne suivez pas vos dons, des difficultés arrivent dans votre vie.

Si vous ne répondez pas à l'appel, nous donnons des coups forts dans votre vie : des accidents, des chutes, des évènements qui viennent mettre en branle votre réalité et vous obligent à vous arrêter pour vous remettre en cause et revenir à vous.
Vous êtes nombreux à avoir vécu de gros changements de vie, des accidents importants où vous avez parfois failli perdre la vie. Que ce soit au travers d'accidents, de morts imminentes, d'arrêts total, de ruptures professionnelles, relationnelles ou de problèmes de santé, ces expériences de vie n'étaient pas là pour vous blâmer mais pour vous pousser à vous remettre en cause pour vous ressouvenir de Qui Vous Êtes Vraiment. C'est ce qui vous a permis de remettre en cause votre réalité, d'apprendre à vous écouter, à devenir une meilleure personne et être la priorité pour vous-même.

Plus vous prendrez le temps d'écouter Qui Vous Êtes Vraiment, de découvrir vos vrais goûts, vos vrais dons, vos vrais savoir-être, votre vraie façon de vivre, plus vous allez vous autoriser à écouter cela et à le mettre en place dans la matière.

Plus vous allez vous ressouvenir de qui vous êtes et plus vos dons vont réapparaitre. Cela fait partie du chemin. Tout ce que vous avez vécu était là pour vous aider à sortir de la matrice.
Si vous lisez encore ces lignes, sans prendre ce contenu pour de la folie pure, et que vous vous dites que ce qui est écrit ici est juste, que

cela vous parle même si vous ne pouvez l'expliquer ; c'est un ressenti, c'est que vous êtes déjà reconnecté à la Source et à la lumière.

Tout cela est vrai et nous ne vous donnons qu'une infime partie de la réalité. Chaque chose en son temps, vous n'avez pas besoin de tout savoir dans la matière.

En revanche, ce que nous vous demandons, c'est de continuer à prendre le temps de prendre soin de vous.

Prenez le temps de vous écouter.

Prenez des temps pour être à l'arrêt. Vous avez besoin de vous arrêter pour retrouver Qui Vous Êtes Vraiment. Vous avez besoin de vous retrouver seul, de retrouver le contact de la nature, pour que vous puissiez ré-accéder à vos dons, vos mémoires.
C'est dans ces moments solitaires, où vous n'êtes pas distraits, ni coupés par vos téléphones ou envahis par les réseaux sociaux, ni les écrans, que la reconnexion à lieu. Les écrans sont des énergies aux interférences désastreuses pour notre communication avec vous. Cela vous endort, vous endoctrine et cela a un impact cellulaire dans votre vibration qui nous empêche d'entrer en communication avec vous.
Bien sûr que vous pouvez vivre avec les nouvelles technologies que vous avez créées. Certaines sont nécessaires à votre avancée, vous le comprendrez plus tard. Il est important que vous ayez conscience de la façon dont vous maîtrisez et utilisez ces outils.

Vous devez agir en conscience. Ne pas vous laisser mener par vos appels, vos textos, vos sonneries, vos alertes qui vous décentrent.

Vous devenez l'objet de ces technologies, vous devenez à leur service et esclaves d'elles. Alors que c'est à elles d'être à votre service. Redevenez maîtres de votre temps, de ce que vous faites. C'est à vous de décider quand regarder ces messages et quand vous entrez en connexion avec les autres. N'oubliez pas de rester en connexion avec vous-même.

Vous avez besoin de vous retrouver seul, et d'avoir des temps d'arrêt, des temps de solitude, des temps pour ne rien faire. Retrouver le goût de ne rien faire, juste pour le plaisir d'être.

C'est dans ces moments-là que vous pouvez ré-accéder à vos mémoires et vos dons. C'est dans ces moments-là que vous êtes suffisamment disponibles pour que nous puissions entrer en contact avec vous. Prenez ces temps-là.
Vous sentez déjà que vous avez de plus en plus besoin d'être seul, au contact de la nature, loin de la masse, loin du bruit et des énergies agressives. Tout cela n'est pas un hasard, vous vous reconnectez à votre énergie réelle. Votre énergie réelle a besoin de douceur, de beauté et d'harmonie.

Vos dons vont réapparaitre seulement si vous accédez à vos sensations d'harmonie, de douceur et de bien-être.

Chacun à votre rythme, à votre manière, avec ce qui est bon pour vous. Vous le savez au fond de vous. Retrouvez la joie et la grâce divine à chaque instant.

Suivez vos envies.

Si vous êtes en train de travailler et que d'un coup vous avez besoin de partir dans la nature, en forêt, ce n'est pas un hasard.
Écoutez cette envie.

Faites-en sorte que votre réalité puisse être incarnée de cette manière afin que vous puissiez être libre de vos mouvements, de votre temps, de votre rythme afin de redevenir un être de lumière. Vous avez votre propre rythme, votre propre temps, vos propres informations et votre propre manière de faire. Vous êtes là pour être la Meilleure Version de Vous-Même et pour l'incarner sur Terre.

Plus vous vous autorisez une vie qui vous ressemble et qui est à votre image, plus vous allez être libre, heureux et vos dons vont réapparaitre. Alors le nouveau monde pourra se reconstruire.

Il est temps de lâcher ces restrictions. Il est temps de lâcher ce qui vous empêche d'être vous-même.

Amusez-vous.

La joie est importante car c'est une vibration puissante. L'âme a besoin de s'amuser pour grandir et évoluer. L'âme a besoin de rire, de jouer. Redevenez des enfants. Vous êtes de toute façon des enfants. Ce que vous appelez « adulte » n'existe pas dans la réalité cosmique. Ce n'est qu'une étiquette Terrestre.

Vous êtes des enfants de Dieu. Retrouvez cette âme d'enfant, votre enfant intérieur, peu importe le mot que vous choisissez mais retrouvez votre cœur qui vibre.

Rouge, soyeux, dansant, vibrant, chantant, s'amusant et sautant dans les flaques d'eau. Libre de tout. Regardez un enfant qui joue et s'amuse. Il court pour le simple plaisir de courir et de se sentir vivant. Il vibre. Vous avez besoin de cette énergie et de cette vibration pour pouvoir mettre en œuvre ce que vous avez à faire. Pour agir à bien dans votre mission.

N'oubliez pas que tout ce que vous allez vivre n'est que joie, bonheur, volupté et grâce. Il n'y a aucune limite, aucune énergie négative. Vous allez vivre dans la vibration sacrée, magique, divine, subtile, splendide. Il n'y a que du bonheur.

Dites au revoir à tout ce qui vous limite et restreint. Arrêtez tout ce qui vous empêche d'être heureux. Faites disparaître de votre réalité tout ce qui vous rend gris.

Il en est de votre ressort car vous avez votre libre arbitre. Notre seul pouvoir est de vous informer, de vous inspirer. C'est à vous de faire le chemin, nous ne pouvons le faire à votre place. Vous le faites de toute façon, petit à petit. Vous pouvez aller plus vite en le faisant en conscience. Avec joie en vous entraidant tous et chacun.

Plus vous exposerez votre façon d'être, de penser, de vivre, plus cela va inspirer les autres et leur donnera l'autorisation d'en faire de même. Vous êtes une chaîne, une vague.

Soyez un exemple pour les autres pour qu'ils comprennent qu'ils sont aussi des exemples. C'est en voyant les autres faire que cela vous inspire. Cela donne l'autorisation, cela fait avancer, cela permet d'effondrer les croyances limitantes. C'est en voyant une vie incarnée que vous vous dites que ces croyances peuvent s'effondrer.
Toutes vos perceptions erronées vont disparaître d'elles-mêmes, si vous incarnez dans la matière la vibration divine. N'ayez plus peur d'être vous-même. Au contraire soyez-en fier, montrez-le au monde, montrez l'exemple.

Soyez un exemple pour vous-même en allant vers la joie, l'amour et la subtile euphorie divine. Avancez vers ce chemin. Vous allez voir comme c'est magique et divin.

Vous allez être surpris.

Plus vous avancerez sur votre chemin, plus les cadeaux arriveront, plus vous vous souviendrez, plus vous avancerez et plus ce sera magique.

Avancez avec joie. Allez-y, il n'y a que vous qui puissiez le faire. Nous vous aimons. Aimez-vous tout autant.

Les dons qui vont venir à vous vont être de plus en plus subtils et étranges. Vous allez entrer dans une nouvelle dimension. Vous allez avoir accès à de nouvelles informations.
Vous allez pouvoir communiquer en conscience avec des êtres de lumière, d'autres galaxies, des êtres extra-terrestres. Ces êtres ont toujours été là autour de vous mais vous ne pouviez les voir jusqu'à présent.
Votre niveau de conscience et vibratoire va être tel que vous allez accéder à un nouveau champ de vision, de nouvelles perceptions. Comme une nouvelle réalité.

Vous allez transmuter
vers un nouveau monde.

Ce nouveau monde est une occasion unique pour vous de vivre en conscience cet éveil. D'être conscient de cette nouvelle couche dans laquelle vous allez apparaître.
Vous allez pouvoir voyager entre ces deux mondes. Le monde actuel de la planète Terre que vous connaissez si bien, ainsi que ce nouveau monde fait de lumière, d'énergie pure, fait d'amour inconditionnel.
Ces transitions que vous allez pouvoir vivre d'un monde à l'autre vont vous permettre d'œuvrer comme il se doit dans vos missions respectives.

Arrivé à ce stade d'évolution, vous serez en pleine conscience de votre mission, vos savoir-être et vos savoir-faire.

Bien sûr vous n'aurez pas accès à toutes les informations de tout l'univers, car encore une fois, vous n'êtes pas apte à recevoir physiquement ces informations. Mais il y aura déjà une telle évolution de conscience, une telle évolution de connaissance et d'expérimentation, que vous pourrez en être très heureux et très fier car c'est un chemin que vous aurez mené. Avec nous mais c'est vous qui l'aurez fait.
Cette nouvelle vie que vous allez pouvoir vivre va vous amener dans un nouveau champ de conscience. Une nouvelle façon d'être. Une nouvelle façon d'appréhender le présent.

C'est un tout nouveau monde
et un nouveau paradigme qui vient à vous.

Cette nouvelle Terre est en train de se créer. Des êtres sont déjà en train d'y vivre. Une nouvelle végétation est en train de se créer. Une nouvelle façon de vous alimenter va arriver. Votre corps sera totalement différent. Vous aurez un corps mais serez en même temps totalement lumière. Vous pourrez vous déplacer dans ces espaces-temps, à votre guise et selon votre bon vouloir et selon les besoins de l'humanité.

Sachez que cette guerre cosmique a des conséquences à bien des égards.

La planète Terre va subir de très grandes transformations.
Une partie d'elle va s'autodétruire avec le temps. Cela va commencer avec des catastrophes naturelles, conséquentes, violentes mais nécessaires.

N'ayez pas peur car vous serez protégés tout au long.
Il se passera ce qui doit se passer.

Cette évolution est nécessaire pour que cette nouvelle Terre puisse arriver. Si vous arrivez à grandir en conscience et à développer vos dons, à faire confiance à toutes les capacités extrasensorielles qui sont en train de vous apparaître, alors vous aurez un taux vibratoire suffisamment élevé pour arriver sur cette nouvelle Terre.

Vous serez protégés tout le long de votre chemin.
Quelle que soit la forme que vous prendrez, sachez que vous faites partie du Grand Un. Vous êtes reliés à l'Amour universel.

Ces dons sont une chance inouïe pour vous de vous connecter avec des êtres d'autres univers, des univers parallèles. Et aussi des êtres qui ont toujours été là au-dessus de la Terre sans que vous puissiez les voir avec vos cinq sens.

Des vaisseaux vont apparaître. Des familles d'âme vont apparaître. Certains d'entre vous vont reconnaître les familles d'où ils viennent réellement. Vous allez pouvoir quelque part « rentrer chez vous », tout en étant sur Terre. Vous allez pouvoir en conscience communiquer avec les êtres de lumière d'où vous venez. Chacun à votre niveau, dans votre timing. Tout ceci suit un plan qui est de l'ordre du divin. Ce plan est parfait. Il se manifeste à vous.

Vous n'avez rien d'autre à faire qu'à être pleinement vous-même.
Vous n'avez rien d'autre à faire que de suivre vos perceptions et faire confiance à ce qui est en train de se passer.

Ceci est totalement magique
et magnifique.

Votre niveau de conscience évoluant, la question de la vie Terrestre va changer. Votre perception d'une simple vie Terrestre n'aura plus tellement de sens. Vous serez tellement reconnecté à votre énergie divine et lumineuse que c'est ce vers quoi vous allez vouloir tendre. Une âme est en perpétuelle évolution. Vous allez vouloir grandir et avancer sur votre chemin.

Découvrir ces nouveaux horizons et continuer d'évoluer et de vous transformer. Arrivé à ce stade vous n'aurez plus peur de la mort car vous savez que la mort n'existe pas. Ce n'est qu'une transformation. Vous serez apte à vous transformer en conscience pour aller vers le monde de votre choix.

Il peut être encore difficile de le comprendre et de l'appréhender comme il se doit mais nous commençons à vous donner ces informations et à les divulguer afin que vous puissiez avancer plus vite et en conscience vers le chemin de cette transformation imminente.

N'ayez aucune crainte. Tout ceci peut ébranler vos perceptions, être totalement nouveau ou aberrant. Sachez que tout ceci est bien réel.

Vous ne vivrez que ce que vous êtes prêt à vivre, selon votre niveau de conscience et d'évolution. Vous n'aurez accès seulement qu'aux informations qui sont bonnes pour vous, selon là où vous en êtes.

Peu importe ce que vous entendez et ce que chacun perçoit car vous avez tous raison, à votre niveau, à votre manière, dans votre énergie et votre vibration. C'est pourquoi plus votre esprit sera ouvert, prêt à accueillir ces perceptions, sans les juger, plus cela va vous faire grandir et nourrir ce monde en évolution perpétuelle.

Cette transformation est incroyable.

Vous avez la chance de pouvoir la vivre. Certains d'entre vous vont la vivre en Pleine Conscience. Même si certaines personnes arriveront sur cette nouvelle Terre, sans en avoir conscience, une partie d'elles le saura. Et certains d'entre vous, le sauront totalement.

En dehors de l'intuition et de la perception, cultivez vos dons quelle que soit leur forme.

Ces dons sont des moyens de communication avec la Source mais aussi avec des êtres extraterrestres proches de vous et qui vous protègent depuis toujours.
Cette communication a besoin d'être là. Pour vous protéger. Protéger le cosmos. Pour que la lumière se diffuse comme il se doit sur la planète Terre et crée ainsi une couche de protection.

Faites confiance. Tous ces êtres bien plus évolués qui sont là autour de vous, savent ce qui est bon pour vous.
Sachez juste que vous êtes des êtres de lumière et d'amour. Vous allez vous en rappeler de plus en plus.

Continuez sur votre voie.
Chacun à votre rythme. Chacun comme il se doit.
Nous sommes fiers de vous.

- XVII -
L'epoque actuelle, la guerre, le combat

L'ÉPOQUE ACTUELLE QUE VOUS ÊTES EN TRAIN DE VIVRE, CE CHANGEMENT DE PARADIGME ET DE TAUX VIBRATOIRE A UN IMPACT ÉNORME D'UN POINT DE VUE CELLULAIRE ET COSMIQUE.

Il impacte sur l'infiniment petit ainsi que l'infiniment grand. C'est comme si cet impact vibratoire de la Terre était le centre de tout, d'ailleurs actuellement vous êtes le centre de l'attention de l'univers tout entier.

L'époque actuelle, la guerre, le combat

L'impact cosmique de cette vibration est colossal. Nous avons tous les yeux rivés sur la planète Terre pour voir comment celle-ci va évoluer. Nous sommes tous centrés dessus et nous sommes tous centrés sur vous à essayer de vous aider, vous qui êtes venus vous incarner sur Terre pour pouvoir évoluer dans la bonne direction.

Si la Terre n'arrive pas à retrouver sa vibration réelle et à vivre cette transformation dans sa totalité, cela va causer sa perte et cela va créer des débris et des conséquences cosmiques fatales et destructrices à bien des niveaux.

Nous avons dit que vous avez réussi à passer un premier palier et que la Terre Gaïa est dans la bonne direction vers la voie de la guérison, de la transformation et de la transmutation. Gaïa a besoin que la lumière cosmique soit reliée par vous au travers du cosmos.

Imaginez que vous êtes des tubes de lumière qui partent de la Terre et qui se relient au reste de l'univers. Plus vous serez des tubes de lumière rayonnants, plus la lumière sera et plus la Terre se transformera.

*Une guerre cosmique
est actuellement en cours.*

Des énergies sombres, négatives, destructives venant d'autres univers et d'autres mondes parallèles, sont en train d'essayer de vous empêcher de vous réaliser afin de se nourrir de votre énergie. Ces êtres sombres ont besoin de votre énergie pour se nourrir. Mais plus vous serez dans la lumière, plus vous allez, tel un miroir qui projette, les rejetez vers là d'où ils viennent. Ces êtres dont nous parlerons dans un prochain livre, sont des êtres sombres venant d'autres galaxies et qui ont à cœur de détruire cette planète car ils ne veulent pas que celle-ci se réalise et devienne de la lumière.

Si la Terre se réalise et devient lumière, ils auront alors le devoir de disparaître de cette galaxie car ils n'auront plus de quoi se nourrir. C'est pourquoi certains êtres humains, qui n'auront pas évolué et ne seront pas en conscience vont tomber dans une désolation la plus totale. Ils vont s'effondrer petit à petit. Ils vont perdre le goût de vivre et le sens de la vie. Ils vont devenir de plus en plus néfastes, noirs et destructeurs. Ces êtres là, ces êtres perdus dont l'âme ne fait plus partie du corps, vont être envahis par des entités.

Ces entités sombres et négatives vont prendre possession de leurs corps et vont agir à travers eux.

C'est pourquoi plus vous serez lumineux, plus la lumière pourra être là pour les protéger et plus les entités positives pourront aussi passer à travers eux pour prendre possession à leur tour de leur corps, leur âme et de leur vie afin qu'ils ne détruisent pas complètement tout ce qu'il y a autour d'eux.

S'il n'y pas assez de lumière ou de protection, alors les âmes négatives vont entrer en eux et cela va créer des comportements néfastes, destructeurs et sombres. Vous n'avez pas envie de savoir la conséquence terrible que cela peut avoir sur la planète Terre. C'est pourquoi vous avez besoin d'avoir accès à vos dons. C'est pourquoi vous avez besoin de communiquer avec les différentes galaxies et les différents univers parallèles en même temps, pour pouvoir avoir suffisamment de force et d'informations pour pouvoir œuvrer comme il se doit sur Terre et pour pouvoir sauver ces âmes perdues.

Ces âmes perdues et errantes sont déjà en train de se déconnecter d'elles-mêmes puisqu'elles ne sont plus connectées à la Source et qu'elles ne savent plus qui elles sont. Elles seront incapables d'écouter ce que nous vous disons.

Elles seront incapables de comprendre ce dont nous vous parlons. Elles seront incapables d'accéder à ces univers parallèles. Ces personnes seront tellement chamboulées, elles se diront que vous êtes devenus fous alors que c'est elles qui le sont car elles ne sont plus elles-mêmes, elles sont perdues à jamais.

Vous ne pourrez pas sauver tout le monde. Cela fait partie de la mission et vous devrez l'accepter. Mais il est de votre devoir, de les protéger au maximum, de les entourer de lumière au maximum, de leur envoyer un maximum d'amour et de bienveillance pour essayer de les sauver d'elles-mêmes.

D'autres personnes venant d'autres galaxies, d'autres êtres de lumière vont venir s'incarner pour les aider, eux, ce sera leur rôle. Ils seront là pour les protéger au maximum et pour essayer de s'incarner en eux pour les sauver de leurs comportements destructeurs. Nous espérons qu'il y aura assez de personnes à l'œuvre.

Les énergies négatives extérieures sont néfastes, puissantes et terribles et elles ont beaucoup de pouvoir. Elles ont créé des stratégies et des stratagèmes pour pouvoir œuvrer à travers elles. Elles ont trouvé des portes d'entrées, des canaux de communications auxquels nous n'avons pas accès. Nous ne savons pas encore l'ampleur de ces tâches néfastes qui vont apparaître à travers ces âmes errantes.

Sachez que nous sommes aussi forts qu'eux et que plus la lumière sera, moins cette énergie noire pourra œuvrer, quels que soient ces moyens de communications et ces stratégies auxquels nous n'avons pas accès.

Alors soyez au poste.

Faites ce qu'il faut car ces deux mondes parallèles vont bien entrer en communication. Ces combats vont avoir lieu. Ne vous inquiétez pas car vous êtes protégés, vous êtes dans la lumière et il ne peut rien vous arriver.

Plus vous serez dans la joie, l'amour, la grâce et la bonté, plus vous vibrez cela, plus vous pourrez vous connecter à d'autres univers et plus vous serez protégés.

Vous essayerez de sauver un maximum d'âme perdues et errantes. Si celles-ci sont vraiment néfastes, vous n'aurez pas accès à elles. Vous n'aurez pas de visibilité avec elles car vous n'entrerez pas en connexion avec elles. Vous saurez juste que c'est là, que cela existe mais vous serez protégés car vous serez à l'œuvre pour œuvrer autrement. C'est pourquoi il est temps que la reconnexion divine se fasse le plus rapidement possible. C'est pourquoi nous employons des mots simples, directs et forts énergétiquement afin de vous souvenir.

Nous ne faisons pas cela pour vous faire peur, ni vous faire croire que c'est de la science-fiction. Nous sommes là pour vous prévenir d'une réalité qui arrive, qui est imminente et que vous allez vivre si vous êtes en train de lire ce livre.

Votre âme va le vivre et si votre âme est en train de lire, c'est que vous aviez rendez-vous et que nous vous avons donné l'énergie nécessaire et suffisante pour pouvoir digérer et intégrer ces informations. Vous le savez au fond de vous. Quelque part vous n'êtes pas surpris. Peut-être que cela est étonnant mais vous avez suffisamment d'informations pour pouvoir vous en souvenir.

Soyez de plus en plus nombreux à divulguer ces informations afin de ne pas entrer dans cette peur de se dire : « ce que je suis en train de lire est fou, ce que je suis en train de penser n'est pas explicable, ce que je ressens n'est pas possible... »

Et pourtant oui, faites confiance à vos perceptions, à vos dons, aux informations que vous recevez car celles-ci sont bien de l'ordre juste. Même si vous n'avez pas encore conscience, de par l'identité Terrestre que vous avez actuellement, continuez votre chemin d'éveil. Vous allez voir que toutes vos perceptions sont bien réelles, justes et à l'œuvre.

Continuez.

Faites confiance quel que soit votre niveau d'information, qu'il soit plus évolué ou moins évolué que ce que vous lisez ici, continuez à le divulguer de plus en plus avec le cœur, l'amour, la foi, la joie et courage. La guerre est en cours, la guerre a déjà lieu depuis longtemps et vous faites partie du chemin, vous faites partie de la paix.

Souvenez-vous : vibrez la paix et non le combat. Vibrez l'amour et non la peur. Vibrez la lumière et non le sombre.

Même si vous œuvrez contre le sombre, vous œuvrez pour la lumière. Soyez conscient de cette vibration car c'est la clé. Vibrez lumière, amour, foi et joie.

Ces informations sont là pour vous aider à vous rappeler, pour créer un impact cellulaire fort, afin que vous puissiez éveiller en conscience et plus rapidement votre âme et votre incarnation.

Soyez conscient.
Réveillez-vous.
Faites confiance.

Tout ce qui vient à vous
est juste et vrai.

Nous le redisons, quelles que soient vos perceptions, même si elles vous paraissent nouvelles et inexplicables, vous entrez dans un nouveau paradigme et les explications n'arriveront que plus tard.

Vous n'avez pas besoin de savoir, ni de comprendre, vous avez besoin de vivre, de vibrer et d'incarner, alors continuez de vivre sur votre chemin sans chercher à contrôler ou comprendre.

Vous êtes au-delà de cela, car vous êtes passé au-delà de la matrice. Vous n'êtes plus dans une « compréhension », vous êtes dans une incarnation. Ceci n'a rien à voir car ce taux vibratoire est bien plus élevé.

Continuez à vibrer ce que vous ressentez, ce que vous vivez, ce que vous percevez. Continuez à être. Votre lumière divine, encore une fois, impacte le monde entier et le cosmos dans son ensemble.

Continuez à vibrer et à vivre cela, petit à petit, dans la foi et l'amour et entourez-vous de personnes qui vous comprennent. C'est très important. Ne restez pas seuls. Ne soyez pas dans des limitations. Autorisez-vous à vivre et à voir en grand.

De nouvelles informations vont venir encore plus puissantes, plus grandes et elles vont vous transformer littéralement.

La transformation va être très grande à un point que vous ne pouvez imaginer. Mais elle va pourtant être vécue et c'est vous qui allez la vivre.

Accueillez cette transformation.

Plus vous serez entouré et soutenu par des êtres de lumières qui pensent comme vous, vous soutiennent et peuvent vous faire avancer sur votre chemin, plus la vague énergétique de lumière sera grande et puissante.

Continuez votre chemin avec foi et grâce. Ne vous arrêtez pas. Continuez, nous avons besoin de vous. Vous êtes sur la voie, le chemin. Nous sommes fiers de vous.

La voie de la réalisation totale va pouvoir arriver et sonner car nous sommes certains que nous allons pouvoir gagner la bataille. Il est certain que la lumière va pouvoir engendrer une transformation profonde et réelle dans tout le cosmos.

N'ayez aucune crainte car c'est en œuvre et c'est en chemin. Quelle que soit la forme que prennent les choses, quelle que soit la forme que votre vie va prendre, quelle que soit la forme Terrestre que vous allez prendre, tout ceci est en voie d'apparition.

Alors continuez à œuvrer avec joie et foi car ceci fait bien partie de la réalité. Soyez convaincu de cela. Continuez fièrement et vibrez l'Amour car c'est la seule voie possible et imaginable qui vous mènera vers la voie.

Continuez et ayez la foi.
Nous sommes fiers de vous.

- XVIII -
Ce qui se passe dans l'au-delà

CE QUI SE PASSE DANS L'AU-DELÀ EST BIEN PLUS GRAND QUE VOUS NE L'IMAGINEZ ET VOUS N'AVEZ PAS BESOIN DE TOUT SAVOIR, NI DE TOUT CONNAÎTRE MAINTENANT.

Si nous vous donnons les informations trop rapidement, cela viendrait cristalliser votre énergie et vous ne pourriez le supporter ni vibratoirement, ni dans votre corps. Cela pourrait créer des impacts néfastes. C'est pourquoi, il est nécessaire que vous avanciez avec votre rythme, à votre juste valeur et avec vos propres perceptions.

Ce qui se passe dans l'au-delà

Faites-vous confiance. Quoi que vous entendiez ou ressentiez en vous, sachez que vos perceptions sont justes. Peu importe ce qu'en dit l'extérieur, ce qui compte c'est vous, vos perceptions, votre lumière et votre énergie.

Ce qui se passe en vous est en résonance avec ce qui se passe dans le cosmos et le Grand Tout. C'est la même chose.

Nous vous rappelons que vous avez plusieurs vies en parallèles et simultanées qui sont en train de se vivre. Plus votre conscience s'éveille ici, plus cela impacte vos vies parallèles. Plus vos vies parallèles s'éveillent aussi, plus cela impacte vos vies ici. C'est un grand tout. Votre âme est à l'œuvre dans différentes vies parallèles, dans différentes dimensions et dans différentes réalités en même temps.

Plus vous avancez dans la lumière, plus ces différentes réalités avancent aussi dans la lumière.

C'est ce Grand Tout qui simultanément va pouvoir œuvrer, pour pouvoir créer cette nouvelle réalité, cette nouvelle vibration dans tout le cosmos, dans toutes les planètes et dans toutes les vibrations qu'il y a. La Réalité est encore plus complexe mais vous n'avez pas besoin de tout savoir. Sachez juste que ce que nous vous demandons est d'être pleinement conscient de votre lumière intérieure.

Reconnectez-vous à votre être intérieur, cela vous reconnecte au Grand Tout, et vous permet d'accéder aux informations de ce qui se passe en parallèle dans l'au-delà.

Ce qui se passe dans l'au-delà est en résonance
avec ce qui se passe en vous.

Vous pouvez aller chercher des informations dans vos voyages cosmiques, vos libérations karmiques, vos voyages astraux... vous pouvez faire cela. Mais si vous ne le faites pas en conscience, ne vous inquiétez pas. Vous pouvez tout à fait en prenant soin de votre temps, de vous, de vos perceptions et de vos dons, faire le même chemin.
C'est juste que votre conscience n'est pas au même niveau car peut-être n'avez-vous pas besoin d'avoir le même niveau de conscience. N'oubliez pas que vous êtes chacun des êtres de lumière, qui venez de différents endroits, de différentes galaxies et de différentes énergies. Nous avons besoin des énergies suprêmes et divines de chacun.

Osez exploiter vos différences et vos perceptions personnelles car ce sont elles qui sont importantes.

Ne jugez pas les perceptions d'autrui. Si les autres ont d'autres perceptions c'est simplement qu'ils viennent d'autres galaxies. Respectez cela et agissez en conséquence avec harmonie et amour. Ne mettez pas de limites, ni de jugements. Ne vous posez pas la question de qui a raison.
Vous avez tous raison, car vous venez tous de réalités différentes. C'est en œuvrant tous à votre manière, avec votre niveau et votre savoir que le Grand Tout peut alors évoluer. Vous êtes tous au poste. Soyez conscients que vous ne formez qu'un.

Ne cherchez pas à avoir raison, à être plus fort ou plus grand que les autres car cela revient à être dans l'énergie de l'égo, du sombre, du négatif et du noir. Soyez dans la lumière, l'amour et la bienveillance.

Dites-vous que si cette personne a telle réalité, c'est formidable car cela veut dire que cette réalité existe. Cela ne veut pas dire que la vôtre est fausse, au contraire. Elles sont toutes vraies et fausses à la fois. Comprenez cela car vous allez entrer en connexion avec de plus en plus de réalités.

Plus vous êtes ouverts, plus vous êtes dans l'abondance, la joie et l'amour total et plus facilement toutes ces réalités pourront co-exister.

Sinon vous allez repartir dans une guerre cosmique, à vous dire que votre réalité est plus importante que l'autre et tout le chemin fait retombera dans l'énergie inverse et s'effondrera à nouveau. Tout cela n'aura servi à rien.

Nous vous invitons à être dans l'amour
et la bienveillance absolue.

Voyez la force qu'il y a à avoir des différences, différentes perceptions du monde. Voyez la force qu'il y a de venir de différentes galaxies pour vous réunir sur la même planète. C'est extraordinaire.

Ouvrez-vous aux autres. Ouvrez vos yeux. Ouvrez vos canaux de communication. Soyez ouvert à toutes ces réalités cosmiques qui s'incarnent dans la matière pour vous faire des signes.

Que vous le sachiez ou non, conscient ou non, vécu ou non, peu importe votre niveau d'expérience et de conscience, accueillez cela, soyez ouvert et dites oui.

Dites oui à toutes ces réalités. Dites oui à tout ce qui se passe. Dites oui à toutes vos perceptions. Dites oui.

Oui à tout ce qui se passe. Soyez sans jugement car ceci va dépasser votre entendement. Ceci dépasse votre connexion et votre réalisation totale. Ceci dépasse votre capacité de perception. Dites oui à tout ce qui vient car en disant oui, vous êtes dans la lumière et plus votre chemin sera grand et merveilleux. Vous serez fiers et heureux quand vous retournerez de l'autre côté de la vie vécue sur Terre.

Autorisez-vous à voir grand. Il n'y aucune limite à vivre cette incarnation sur Terre, bien au contraire.

Vous êtes en train de vivre ce changement de paradigme et ce changement de conscience. Continuez à dire oui, évoluer et grandir. Continuez à éveiller les âmes spirituelles de lumière, Terrestres, perdues et errantes. Ayez tout cela, sans jugement avec amour et foi. Nous avons tous besoin de vous. Continuez à œuvrer dans la matière comme il se doit. Nous sommes fiers de vous. Dites oui et continuez ainsi.

Vous allez vous rendre compte par le cumul d'informations que vous allez récolter les uns et les autres de par vos dons, combien l'Univers est grand, complexe et une source infinie d'informations.

Vous n'avez pas besoin de tout savoir, ni de tout comprendre en étant dans votre âme Terrestre. En revanche, en avançant sur votre chemin, vous allez avancer vers une désincarnation. Vous allez devenir des êtres de lumière pure.

Deux mondes vont apparaître au même moment.

Il y aura l'ancien monde, le monde Terrestre que vous avez connu. En parallèle de cela, va apparaître un nouveau monde. Ce nouveau monde est un monde de lumière, d'êtres désincarnés qui vont pourtant vivre incarnés sur cette Terre, mais d'une autre façon, dans une autre vibration, avec un autre corps. Ces deux mondes vont être parallèles.
Ceux qui sont dans l'ancien monde, n'auront pas accès à ce nouveau monde. Ceux du nouveau monde, vont œuvrer à leur manière, vivre ce qu'ils ont à vivre tout en impactant sur l'ancien monde Terrestre.

Imaginez qu'il y ait vraiment deux réalités différentes au même instant, au même endroit mais dans une façon d'être et de vibrer qui soit différente.

Il est important d'avancer sur le chemin spirituel, d'éveil et d'accompagner le plus de personnes vers la voie du pardon, de la guérison et de l'amour. Ce sont ces vibrations-là qui vont permettre d'avoir un taux vibratoire suffisamment haut pour évoluer dans ce nouveau monde.

Si vous n'êtes pas assez évolué, vous perdrez la bataille. Si vous restez dans cet ancien monde, les conséquences vont être terribles.

Si vous avancez et devenez un être de lumière, vous allez redevenir lumière pure. Vous allez redevenir énergie pure. Vous allez vous matérialiser d'une manière qui est pour le moment inconcevable par vos yeux humains.

En ayant accès à ces dons, ces informations, en évoluant chacun dans votre vie et vos missions respectives, vous allez pouvoir tous grandir ensemble et vous faire évoluer les uns et les autres, afin d'être prêt à recevoir cette nouvelle réalité. C'est une nouvelle réalité que vous connaissez déjà, vous en avez déjà fait l'expérience avant de vous incarner, mais vous ne vous en souvenez plus. Ce sont des choses que vous avez déjà vécues même si ce n'était pas de la même manière.
Ce sont des énergies et des ressentis que vous connaissez. Vous les avez déjà incarnés dans bien des vies, sous bien des formes et dans de nombreux espaces-temps.

Comprenez que vous n'êtes plus que matière, énergie, lumière. Toute forme qui existe dans le monde vous pouvez l'être car vous l'avez déjà été dans vos vies et chemins respectifs.

Ces transformations vous les connaissez déjà. Elles font partie de vous. C'est votre conscient qui lui ne connait pas. Vous avez eu la loi de libre-arbitre en vous incarnant sur cette Terre. En vous incarnant, vous oubliez tout, l'essentiel est de se rappeler. Plus le monde avance, plus vous vous rappelez.

Plus vous vous rappelez, plus les êtres de lumière peuvent s'incarner ici avec vous, en parallèle, pour vous aider à arriver à ce nouveau monde.

Nous ne pouvons parler de temps, ni dire quand cela va arriver mais c'est imminent. Dans l'échelle de l'espace-temps, c'est déjà. C'est déjà là. Ce que vous faites en ce moment, impacte votre passé, votre futur, vos mondes parallèles et toute la galaxie entière.

Avancez dans ce que vous faites.
Faites-vous confiance.

Encore une fois, toutes les perceptions que vous pouvez avoir sont justes. Ne laissez pas votre mental vous juger, vous limiter et vous maintenir dans ce monde ancien, révolu dont vous ne voulez de toute façon plus faire partie. Ce n'est plus possible.

Pour les personnes restant dans cet ancien monde, n'ayant pas évolué, ni compris la loi du pardon, de l'amour, de la vérité et du bonheur, celles-ci vont vivre un cycle très long et d'éternel recommencement dans cette ancienne Terre.

Ce sera un monde noir, de destruction, de folie, sombre. Ils vont rester dans ce monde sombre durant plusieurs vies jusqu'à ce que la Source décide qu'il n'est plus temps de se réincarner.

Dans un premier temps, ces âmes n'auront plus le choix, elles seront obligées d'être réincarnées dans ce monde encore et encore, jusqu'à ce qu'elles comprennent.

Cet ancien monde est une sorte de destruction intérieure. C'est une énergie qui va circuler de cette manière-là. Vous qui êtes conscient d'être énergie, nous vous invitons grandement à ne pas y être.

Nous ne pourrons pas sauver tout le monde mais nous pouvons en sauver un maximum.

Allez vers cette nouvelle Terre, cette nouvelle voie et cet appel qu'il y a en vous. Encore une fois ne cherchez pas à comprendre, vous n'êtes plus à l'étape de la compréhension.

*Vous êtes au stade de vivre les choses
et de savoir au fond de vous.*

C'est pourquoi vous êtes nombreux à transmettre ces nouveaux messages. Quels que soient les médias, la forme, le métier, vous êtes nombreux à éveiller ces consciences. Vous allez constater que vous êtes plusieurs à dire les mêmes choses et qu'en réalité tous ces discours ne sont qu'un. Soyez fiers de les montrer et de les divulguer au monde et rencontrez-vous, tous les uns et les autres pour essayer de comprendre cette carte que nous vous envoyons, chacun de par vos canaux de communication et vos capacités de réceptions.

Aidez-vous les uns et les autres dans vos perceptions pour avoir une vision encore plus grande et large. Vous allez voir qu'en avançant, la réalité va être moins tangible et importante. Vous allez vous rendre compte à quel point vous faites partie du Grand Tout.

Vous allez être dans une vibration de lumière et cette transformation est magnifique à vivre. C'est incroyable car vous allez redevenir ce que vous êtes vraiment tout en l'incarnant sur cette Terre. C'est cela qui est extraordinaire. Pouvoir vivre sur Terre cette énergie divine de non matière, alors que vous serez matière à un certain niveau. C'est délicat de l'expliquer, vous le comprendrez petit à petit au fils des années et des avancées. Il n'est pas question de siècle mais bien d'années.

Préparez-vous au grand changement que vous êtes en train de vivre. C'est incroyable et une chance extraordinaire. Allez vers la lumière, l'amour, la foi, la joie. Soyez heureux et vivez-le pleinement.

*Vous allez voir qu'une nouvelle vie s'offre à vous,
elle va être magnifique et divine.*

- XIX -
Ce qu'il faut faire maintenant

**LA SEULE CHOSE À FAIRE
EST D'ÊTRE HEUREUX.**

Nous vous faisons un électrochoc pour vous faire un éveil de conscience afin que vous puissiez intégrer ces nouvelles données, dans vos cellules, le plus rapidement possible car le temps est compté. Rassurez-vous, vous êtes en sécurité.

Ce qu'il faut faire maintenant

Ce nouveau monde est merveilleux. Il va se faire de lui-même. Ce sont vos peurs qui peuvent vous faire croire que les choses vont être difficiles, vous amenant à vous demander ce qui va se passer et si vous serez à la hauteur. Vous êtes train de retomber dans le mental en faisant cela.

Soyez dans l'énergie de l'instant présent qui est de vibrer l'amour. C'est la seule chose à faire maintenant.

Votre mission actuelle à tous et à toutes est de suivre vos envies.

De créer la vie que vous souhaitez. De faire le métier qui vous fait rêver et de pouvoir transmettre au monde tout ce qui vous importe à vous. Peu importe la forme que prennent les choses.

Peu importe votre métier, vos informations ou votre manière de prendre soin de l'autre, vibrez l'amour.

La vibration est la seule chose qui compte. C'est l'essentiel. Vous êtes vibration. C'est votre vibration qui guérit. Ce qui compte, c'est la façon dont vous faites les choses avec votre vibration.
Que ce soit en faisant du bon pain, des soins, de la danse ou du jardinage, vous participez tous à l'éveil de conscience. Il n'y a pas de comparaison.

Suivez vos envies. Suivez ce que votre âme vous dit et avancez sur ce chemin avec foi et confiance car vous êtes aidé. Quelles que soit vos capacités spirituelles, la forme que prend votre vie, faites-vous confiance.

Vous êtes tous importants, vous êtes tous au poste, tous dans votre manière de faire. Vous n'avez pas à vous juger ou à vous comparer, bien au contraire. Aimez-vous les uns et les autres. Soyez fiers des uns et des autres.
Ce que vous faites tous, à votre niveau est important. Chaque niveau est important. Un médium n'est pas plus important qu'un artiste, qui n'est pas plus important qu'un jardinier, qui lui-même n'est pas plus important qu'une petite fille se souvenant de ses anciennes vies, qui ne vaut pas moins qu'un pâtissier etc... Vous êtes tous importants. La comparaison n'existe plus car vous n'êtes qu'Amour et Un.

Vous êtes tous réunis. Avancez vers le monde que vous souhaitez vivre. Avancez vers ce qui fait vibrer et ce que vous voulez créer.

La seule chose à faire
est d'être heureux.

Nous comptons sur vous. C'est à vous de le faire et de le vivre.
Vous allez voir les choses naturellement évoluer et se mettre en place. Votre chemin va vous apparaître tel un miracle sous vos yeux. Vous n'avez plus rien à « faire » mais juste à « être ». Il n'y a plus de notions d'efforts mais des notions d'intentions. Demandez-nous et vous recevrez.

Même si vous ne nous voyez pas ou ne pouvez communiquer avec nous en conscience, en réalité nous sommes là. Nous vous entendons et nous vous aidons.

Ouvrez votre esprit. Demandez à Dieu, l'Univers, la Source, les Anges, les Guides peu importe le mot... nous sommes là. Vous êtes déjà en train de vivre deux mondes parallèles en même temps.

Dans la réalité dans laquelle vous êtes, il y a déjà un autre monde, avec d'autres espèces qui ne sont que lumière et qui vous aident. C'est ce que vous allez devenir, si vous avancez sur votre chemin. Vous allez, vous aussi devenir ces êtres de lumière même si c'est encore à un autre niveau qu'eux. C'est encore une autre couche et vous la comprendrez plus tard.

Continuez car cette mutation importante vous allez de toute façon la vivre. Vivez-la dans l'amour.

Ce livre a pour but de vous éveiller, de vous surprendre, de créer peut-être des polémiques. Quelles que soient les réactions que cela va créer, ceci est voulu par le Grand Tout.
Ceci va permettre de scinder le monde. Ceci va permettre aux personnes qui s'éveillent de s'éveiller encore plus et d'avoir le courage

et la foi d'y aller. Pour ceux qui ne veulent pas, ils auront la foi et le courage de ne pas y aller et vous connaissez les conséquences.

Envoyez de l'amour.
En permanence.

C'est la seule chose qui vous est demandé de vibrer. Faites tout ce qui est en votre pouvoir pour pouvoir incarner les propos tenus dans ce livre. Ce livre à un taux vibratoire fort, vous le sentez en le lisant. Ce taux vibratoire influence déjà votre être et votre ADN. Nous avons œuvré à travers ces lignes, cela va créer des transformations en vous qui vont être magiques et magnifiques.
Comprenez que nous ne souhaitons que le meilleur pour vous. Vous êtes comme nous, vous faites partie de nous, nous sommes une famille. Nous vous aimons à l'infini, inconditionnellement. Nous vous soutenons et admirons. Nous sommes là, avec vous à chaque instant.

Suivez les guidances, suivez-nous.
Venez avec nous, rappelez-vous.
Ce n'est qu'Amour.

Faites-vous confiance et avancez pas à pas vers votre chemin. Vers la voie qui est la vôtre. Creusez votre sillon et vous verrez votre rôle et à quel point vous faites partie d'un grand tout parfait et magnifique. Découvrez-le. Tout est là.

Ressentez le divin qui est en vous. Ressentez à quel point toutes vos cellules sont interconnectées au Grand Tout. Posez l'intention d'être connecté au Grand Tout et vous en aurez conscience.

Faites-vous confiance.

Encore une fois, votre pouvoir est infini, soyez-en convaincu. Soyez convaincu d'être infiniment grand et puissant. Soyez conscient de votre vibration qui impacte la totalité, de tout ce qui Est.

Soyez heureux.
C'est la seule chose à faire.

En étant dans la vibration du bonheur, vous vous connectez à la vibration du Grand Tout et vous vous connectez à la vibration que nous avons Nous, Êtres de lumière. Plus vous cheminerez vers cette vibration, plus celle-ci s'étoffant va se cristalliser dans votre être et permettre à cette vague d'amour de devenir matière.

Cette énergie va permettre à votre corps et votre ADN d'évoluer pour entrer dans le nouveau monde. Paradoxalement, lorsque nous disons que cette énergie d'amour va devenir matière, pour vous, vous allez vous désincarner pour devenir lumière. Vous allez vous reconnecter à vos vraies familles, à d'où vous venez, à vos familles d'âmes pour pouvoir être dans ce nouveau monde. Vous le vivrez dans un corps physique mais il ne sera plus le même que le corps Terrestre que vous avez actuellement. Vous verrez, laissez-vous surprendre.

Avancez avec confiance et sachez qu'il est extraordinaire de vivre cela. Rendez-vous compte de la chance de le vivre.

Votre âme l'a décidé, vous le savez au fond de vous. Rappelez-vous. Vous vous êtes porté garant à le vivre. Vous vous êtes engagé à faire votre mission. Nous sommes là avec vous, pour vous guider et vous accompagner à chaque pas.

Venez vers nous, avec joie, foi et amour. Tout va bien. C'est merveilleux et magnifique.

Comprenez aussi que les personnes qui vont rester dans l'ancien monde, sont des âmes qui l'ont décidé. Il n'y a aucune culpabilité à avoir. Faites ce que vous pouvez pour réveiller le plus de personnes dans cette lumière, pour que le plus de personnes se souviennent et puissent avancer sur ce chemin.

Pour ceux qui ne le désirent pas, c'est que leur âme l'a décidé. Ces âmes ont décidé de faire partie de cet ancien monde et de s'autodétruire. Cela fait partie de leur chemin.

Ce n'est qu'une énergie.
Encore une fois, pas de jugement. Vous, vous avez à prendre soin de la vôtre. Cultivez votre énergie lumineuse.

Nous vous aimons.
Aimez-vous tout autant.

- XX -
Comment agir,
comment avoir confiance

▌ VOUS SAVEZ COMMENT AGIR ET AVOIR CONFIANCE,
NOUS L'AVONS EXPLIQUÉ DURANT TOUT LE LIVRE.

Vous avez toutes les forces en vous pour pouvoir être confiant et vivre cette vie incroyable qui s'offre à vous. Rappelez-vous l'époque où l'humanité croyait que la Terre était plate. Ceux qui ont découvert que la Terre était ronde ont dû se battre pour cela.

Comment agir, comment avoir confiance

Ce que vous vivez actuellement est similaire. Ces perceptions que vous pouvez avoir, ces intuitions, ces ressentis : accueillez-les. Ce sont eux qui vont vous montrer la voie. Cette voie va apparaître sous vos yeux. En tirant le fil, la facilité sera grandissante.

Ne vous jugez plus. Il n'y a même pas de fierté à être soi-même, il y a à se laisser découvrir par soi-même. Être ok. « Tiens, je vis cela. Tiens, il se passe cela en moi. Tiens, j'ai telle émotion en moi. »

Donnez la permission à ces émotions et ces vibrations d'apparaitre à vous pleinement, plutôt que de jouer un rôle dont les limites et les codes viennent de la société et du regard des autres.

En vous interdisant de vivre vos émotions, de les affirmer ou de faire l'expérience de ce qui se passe en vous, vous vous interdisez d'être vous-même.

Alors qu'en l'avouant et en l'offrant au monde, le chemin apparaît. Seul un être qui s'assume devient véritablement lui-même.

Vous pouvez vous « laisser » être.
Et non « devoir » être.

Laissez-vous surprendre par qui vous-êtes. Vous allez découvrir que vos façons de vivre, de penser et d'agir sont totalement différentes de ce vous pensiez jusqu'à présent.
Vous allez découvrir que vous avez peut-être besoin davantage de nature qu'avant. Que vous êtes plus sensible aux animaux et aux plantes qu'avant. Que vous avez moins besoin de consommer de nourriture. Que les biens matériels ne vous apportent plus rien. Que vous dépensez moins, puisque vous consommez moins. Que vous êtes plus doux, plus calme qu'avant ou au contraire bien plus actif...

Laissez-vous découvrir par votre véritable énergie qui elle-même ne va faire qu'évoluer. Si vous apprenez dès maintenant à suivre vos énergies présentes, vous allez avancer car ces énergies ne font que se transformer en permanence.

C'est pourquoi quitter le mental est nécessaire. Le mental berne et vous fait croire des choses sur vous qui sont fausses.
Tout cela est révolu. Si vous vous laissez découvrir par ces instants

T, par vos envies à l'instant T, par ce que vous êtes et vibrez à chaque instant, alors vous allez laisser cette énergie vous traverser. Cette énergie vous traversant, vous allez vous redécouvrir en permanence.

A partir de maintenant vous êtes des êtres en évolution constante.

Vous l'avez toujours été mais en vous autorisant à l'être et le vivre, cette évolution grandissante va permettre l'évolution du monde.

C'est en vous transformant que le nouveau monde va apparaître.

Chaque année, vous pourrez faire le bilan et constater à quel point vous évoluez de plus en plus vite. Ce sera sans fin et merveilleux. Au-delà de ce que vous pouvez imaginer. Il est très important de vous laisser surprendre par qui Vous Êtes Vraiment.

Laissez la matière faire son effet. Laissez l'énergie vous traverser. Ne cherchez pas à contrôler ou maîtriser. Vous n'en n'avez plus besoin. Cette vibration de maîtrise est une vibration basse.

En vous laissant vivre à chaque instant, au gré du vent et de vos envies, vous allez vous rendre compte de tous les messages que nous vous envoyons et vous apprendrez à recevoir. Toutes les perceptions et toutes les intuitions dont vous avez besoin pour avancer sont là pour cela. Vous êtes une goutte dans un courant, laissez-vous bercer par la fluidité de l'eau. Il n'est plus nécessaire de nager et de faire des efforts pour construire quoi que ce soit. Il n'y a qu'à être.

En étant, vous ferez exactement ce que vous devez et au bon moment. Laissez-vous être. Laissez-vous agir.

La confiance apparaît lorsque vous vous laissez agir car vous faites alors l'expérience du beau, de l'harmonieux et du facile. A ce moment-là, les choses « réussissent » avec facilité et volupté et du coup votre confiance augmente.

La confiance en soi est liée à ce lâcher-prise et cette conscience.

Si vous êtes convaincu qu'il arrive ce qui doit arriver au bon moment, la confiance est là. Car vous faites confiance, car vous êtes à l'écoute, car vous laissez faire et n'êtes plus aux commandes.

C'est en n'étant plus aux commandes en apparence, que vous allez retrouver votre vrai pouvoir.

Votre perception sur vous-même sera tellement différente que vous n'aurez plus besoin de prouver au monde quoi que ce soit. Vous n'aurez plus besoin de maîtrise. Tous vos besoins reliés à cet ancien monde vont s'estomper petit à petit et spontanément et vous allez voir la vie de façon plus simple et joyeuse.

Allez vers ce quotidien qui vous fait vibrer et rêver.

Cette grâce divine et cette manière de vivre va transformer le monde, plus que vous ne l'imaginez.
Vous allez vous souvenir de Qui Vous Êtes Vraiment et d'où vous venez. Vous allez vous souvenir de certains éléments du Grand Tout. Vous comprendrez que cette vie Terrestre n'est qu'une infime partie de la totalité de votre être et de votre vie.
Toutes les parties de votre âme une fois réunies, vont vous permettre d'incarner votre grandeur dans la matière. Ce sont différents

stades et paliers. Sachez juste que cette étape existe et qu'elle arrivera à vous au bon moment.

Soyez conscient et convaincu que chaque chose arrive au bon moment. Il n'y a pas de hasard. Vous le savez.

Nous vous le redisons pour vous permettre de ne plus être dans la peur ou la crainte. Celle-ci est encore parfois présente, alors que vous connaissez ces concepts, vous les vivez de temps en temps. Nous vous invitons à les vibrer en permanence, à les incarner. C'est de plus en plus facile puisque le taux vibratoire augmente et que votre corps céleste et votre corps Terrestre sont de plus en plus reliés. Vous allez voir comme il est de plus en plus facile d'incarner cela.

Votre intention s'incarne
instantanément dans la matière.

Vous le constatez mieux qu'avant car votre vibration vous permet de le vivre mieux qu'avant. Ceci n'est que le début.

Laissez-vous découvrir et transformer. C'est une transmutation divine que vous vivez, elle est incroyable, extraordinaire et magnifique. Soyez heureux de tout cela.

Vous rendez-vous compte de la chance que vous avez de le vivre ? Vous rendez-vous compte de toutes les informations que vous venez de comprendre et d'intégrer ? Vous rendez-vous compte de la puissance que vous êtes ? Vous rendez-vous compte de tout le chemin déjà parcouru ? Vous rendez-vous compte de l'être incroyable que vous êtes déjà ? Vous rendez-vous compte que votre vie est extrêmement belle et magnifique telle qu'elle est ?

C'est cela avoir confiance et savoir agir. Vous êtes déjà en train d'agir avec confiance. Tout est déjà là, tout se fait déjà.

Il n'y a que votre mental qui vous fait croire que les choses peuvent être mieux ou différentes. Tout est déjà là. Nous sommes déjà à l'œuvre à travers vous.

Vous êtes déjà guidés, conscients ou pas. Tout est déjà comme il se doit. Alors accueillez cela encore plus. Ouvrez cela en vous.

Faites-le avec confiance et joie. C'est là que le voyage devient extraordinaire car vous le vivrez en confiance, dans la joie, l'humour et l'amour. Cette expérience rapproche énormément les cœurs et vous allez vous rendre compte que le véritable amour, le grand, le vrai, vous allez y gouter comme vous ne l'avez jamais vécu. Vous allez découvrir ce que c'est que d'aimer vraiment.

N'est-ce pas beau et magnifique ?

Continuez à avancer avec amour, confiance et harmonie. Dans la fluidité de votre rythme juste.

Ce voyage est une joie.

Soyez honoré d'être en vie. C'est un honneur que de l'être.

Savourez chaque instant. Chaque instant est à savourer car chaque instant est un moment unique. Profitez au maximum. Faites-vous du bien, faites-vous plaisir. Faites du mieux que vous le pouvez. Avancez, nous sommes avec vous.

La vie est belle. Soyez une belle vie.

La confiance est une vibration et un amour pour vous-même. C'est votre capacité à vous accepter tel que Vous Êtes Vraiment. Votre confiance est d'oser vous libérer des restrictions qui n'existent que dans votre tête et dans l'interprétation de ce monde. Avoir confiance, c'est se laisser bercer par cette énergie divine. Faites confiance au processus de transformation et de changement. Faites confiance à qui vous êtes.

Vous savez que le monde est parfait. Faites confiance à ce monde. Laissez-le apparaître à vous. Ceci est plus simple, facile et harmonieux.

Autorisez-vous cette confiance,
cette joie et cette grâce magnifique.

Vous voyez à quel point vous êtes inspirant lorsque vous êtes lumineux et confiant. Lorsque vous incarnez la Meilleure Version de Vous-Même, les autres vous regardent d'une manière différente. Cela leur donne la permission d'être aussi la meilleure version d'eux-mêmes. En étant à votre écoute, les autres le deviennent aussi. Plus vous êtes à l'écoute des uns et des autres, plus vous prenez soin de vous et des autres.

N'oubliez pas d'être égoïste parfois, d'être la priorité pour vous. Si vous vous focalisez trop sur les autres, vous vous empêchez d'être vraiment vous-même, et vous oubliez alors que vous faites partie du Grand Tout.

Certains d'entre vous peuvent avoir ce défaut, car vous êtes tellement au service, tellement à l'œuvre, que vous oubliez que vous êtes encore un être humain et que vous faites partie du Grand Tout et que vous avez des besoins.
Ne vous oubliez pas. N'oubliez pas vos propres besoins, d'affirmer ce que vous pensez et de demander aux autres ce dont vous avez besoin.

Si vous vous dites que c'est égoïste de votre part de partir en vacances et que vous devez vous occuper des autres, vous n'êtes pas dans l'ordre juste de choses. Si vous avez besoin de repos et de partir, faites-le, ainsi vous autorisez les autres à faire de-même.

Les autres peuvent attendre, vous êtes votre priorité. C'est à vous de prendre soin de vous. Soyez « égoïste », c'est la seule façon de prendre soin des autres. Devenez un exemple.

Si chacun prend soin de ses véritables besoins,
alors le monde peut fonctionner comme il se doit.
C'est votre devoir de prendre soin de vous.

- XXI -
Comment être dans l'amour

**▌ VOUS ÊTES DÉJÀ DANS L'AMOUR
PUISQUE C'EST LA SOURCE DE TOUT.**

Tout ce que vous êtes est amour mais vous l'avez oublié de par cette expérience de libre-arbitre sur la planète Terre. Actuellement vous vous rappelez cette notion d'amour, de divin et de ne faire qu'Un avec le Grand Tout. Cette conscience venant à vous de manière probante, vous permet de vibrer davantage l'amour.

Comment être dans l'amour

Être dans l'amour c'est aimer le Grand Tout. C'est se souvenir d'où l'on vient. C'est oser être soi-même. C'est aimer tout ce qui Est. C'est aimer tout ce qui se passe. C'est aimer sans jugement.

Arrivé à ce stade, vous ne pouvez plus faire de mal à ceux qui vous entourent, ni à toutes les énergies vivantes puisque vous en avez conscience.

Ce n'est pas parce qu'une situation est jugeable
en apparence comme néfaste qu'elle l'est forcément.

N'oubliez pas que vous n'avez pas accès à toutes les perceptions, ni toutes les données. Il se passe des choses dans votre réalité dont vous n'avez pas conscience.

Vous ne voyez pas tout. Vous ne savez pas le nombre de fois où nous sommes venus vous voir. Vous ne savez pas le nombre de fois où vous avez déjà voyagé dans l'espace.Vous ne savez pas combien de fois nous sommes venus vous réparer pour vous aider. Vous ne savez pas tout. Vous n'avez pas à vous souvenir de tout.

Ne vous rappelant déjà pas d'où vous venez, dans votre quotidien, vous ne savez pas qu'il s'est passé des choses. Vous croyez être restés chez vous mais en réalité, vous êtes partis et puis revenus, mais vous ne vous en rappelez pas.

Ne faites pas trop attention aux perceptions apparentes, soyez attentif à vos perceptions intérieures, vos ressentis, vos mémoires, vos cellules et votre énergie. Tout est là. Tout est en vous. Vous êtes le Grand Tout.

Ne cherchez pas à tout comprendre, ni à tout savoir, cela ne sert à rien. Le cerveau humain n'est pas apte à comprendre, ni à recevoir toutes ces informations.

Nous vous envoyons exactement ce qui est juste et nécessaire pour vous actuellement. Faites-nous confiance. C'est cela l'amour : faire confiance à ce qui Est sans porter de jugement.

Ouvrez votre esprit.
Vous ne pouvez savoir ce qui est bon pour l'un ou l'autre. Vous pouvez juste savoir ce qui est bon pour vous-même.

Le jugement est la première chose
qui vous empêche d'être dans l'amour.

Retirez cela. En vous permettant de vivre la vie que vous souhaitez réellement, vous vous offrez l'amour que vous méritez.

Le manque d'amour vient d'un manque d'amour pour soi-même.

Reconnectez-vous à vous.
Redevenez la personne la plus importante de votre vie. Vous verrez que tout se met naturellement en place.

Les choses sont simples. Faites-vous du bien. Faites-vous plaisir. Allez vers la joie et l'amour apparaîtra naturellement.
C'est simple. Laissez les choses se faire. Vous le savez.
Laissez-vous porter.
La vie est facile.
Soyez heureux de tout et de tout ce qui vous entoure. Aimez tout, tout est aimable, tout existe pour une raison.
Ayez conscience de ce juste équilibre entre le yin et le yang. Entre le beau et le moche. Entre le bien et le mal. Toutes ces notions sont importantes pour l'équilibre.

Ne jugez pas ceux qui sont dans le conflit si vous êtes dans l'amour. Cela fait partie d'un juste équilibre. Ne jugez pas, vous ne pouvez pas savoir.

Votre vision du monde est de toute façon étriquée de base. Vos pensées et jugements sont étriqués également.

Osez ouvrir cet esprit à l'infini. Osez vous remettre en cause. Admettez que les choses vous échappent et que plus grand que vous existe et que celui-ci est parfait.

Quelle que soit la forme que prennent les choses. C'est cela être amour.

Être amour c'est accepter
ce changement de paradigme.

C'est accepter que certains iront vers la lumière et que d'autres resteront dans la roue de la destruction de l'ancien monde.

Acceptez cela. Tout est ok. Faites confiance et faites-nous confiance. L'Amour est une énergie dont vous êtes fait.

Cette énergie et cette vibration est très importante pour qu'elle puisse se développer à la fois en vous mais aussi autour de vous afin qu'elle impacte la planète Terre et tout le cosmos. Cet Amour universel qui est là, que vous avez toujours porté, est une vibration de guérison pour la planète Terre. Ce que vous allez vivre a besoin d'être vécu dans l'amour. Sinon vous ne pourrez grandir en conscience.

Il n'y a que l'Amour qui va vous faire avancer sur votre chemin. Il n'y a que l'Amour qui va vous permettre d'avoir confiance et foi. Il n'y a que l'Amour qui va être un guide pour vous.

Quel que soit le monde chaotique dans lequel vous allez être à un moment donné, suite à ces catastrophes naturelles, suite à ces effondrements politiques, suite à ces transformations de l'ancienne Terre vers la nouvelle, même s'il va y avoir une phase de chaos, cette vibration d'amour va vous donner la force et la foi d'avancer.
Cette vibration d'amour va pouvoir vous faire cheminer vers cette nouvelle Terre. Cette vibration d'amour va pouvoir aimer et guider toutes ces âmes perdues et errantes, qui ne sauront plus sur quoi se rattacher.

Par votre simple vibration d'amour, vous allez pouvoir devenir un phare pour ces êtres. Vous allez pouvoir devenir un phare pour

toutes ces âmes perdues. Elles sauront où aller en suivant cette lumière que vous allez rayonner consciemment ou inconsciemment.

Quels que soient vos actes, cette vibration d'Amour est votre bouclier. Cette vibration d'amour est la plus importante. Cette vibration d'amour est la seule chose que vous avez à vivre et à être. Choisissez de l'être dès maintenant. Demandez à être dans la vibration d'amour la plus forte et la plus divine qui soit, à cet instant T, dès maintenant. Amen.

Soyez convaincu qu'en disant ces mots, vous êtes déjà au meilleur endroit et dans la meilleure vibration qui soit pour vous. Chaque jour vous allez avancer un peu plus.

Sachez que nous œuvrons déjà avec vous. Nous vous aidons à chaque instant. Nous vous aidons à faire évoluer votre vibration. Nous faisons en sorte que votre corps puisse s'adapter à ces nouvelles vibrations et que votre ADN puisse évoluer.

L'Amour est le plus important.

Allez vers l'Amour. Soyez Amour.
Le reste suivra.

- XXII -
Comment vibrer
la paix et l'énergie

■ VOUS N'ÊTES QU'ÉNERGIE PURE.

Vous le savez, le juste équilibre entre l'amour, la bienveillance et le bien-être avec soi est important pour pouvoir être en paix et donc le vibrer. Certaines choses de votre passé, de votre vie actuelle, de vos vies parallèles et ce qui peut se passer dans le cosmos, peuvent inter-férer avec vos cellules et vos mémoires.

Comment vibrer la paix et l'énergie

Des interférences peuvent créer des désagréments émotionnels, physiques ou spirituels.
Cela fait partie du chemin. Nous sommes à l'œuvre pour vous aider et vous guérir le plus possible.

Même si parfois vous pouvez avoir des douleurs physiques, certaines sont nécessaires à l'avancée de ce monde et dans votre avancée spirituelle. Il n'y a pas toujours d'explications rationnelles. Vous pouvez vivre des choses qui sont au-delà de cela.

Par exemple, moi Aurore, qui suis en train de canaliser ce livre, depuis le début de l'écriture, j'ai mal au bas du dos. J'ai demandé là-haut d'où venait cette douleur et ils m'ont dit que cela était en lien avec l'écriture de ce livre. Tant que celui-ci ne sera pas terminé, j'aurai ce mal de dos. Ils m'ont dit de ne pas chercher à savoir pourquoi. Ce mal de dos représente quelque chose dans l'énergie divine et dans l'énergie du Grand Tout.

Cette énergie se manifeste aussi à travers moi, aussi bien qu'à travers d'autres fréquences, d'autres personnes, d'autres êtres dans d'autres cosmos. Tout cela n'est qu'une énergie qui circule. Je n'ai pas besoin de comprendre, ni l'envie de savoir pourquoi, mais effectivement à l'avancée de ce livre et de son écriture, la douleur s'estompe. Elle se manifeste à différents moments comme un appel pour me pousser à écrire.

Ceci est un exemple pour montrer qu'il n'est pas nécessaire de faire une thérapie ou d'aller chez un ostéopathe pour guérir cette douleur. Car l'humain ne peut rien y faire. C'est juste une manifestation physique d'une émotion karmique et d'une énergie du cosmos. Tout ceci va bien au-delà de ce qui est compréhensible. Pourtant c'est là.

Ce genre de manifestation concrète, qu'elle soit physique, émotionnelle ou spirituelle peut prendre bien des formes.

**Vous n'avez pas tous toujours besoin de faire
des thérapies pour régler vos problématiques.**

Ceci fait partie d'un stade. A un certain moment, il est bon de le faire mais plus vous cheminez, plus votre taux vibratoire évolue et moins les thérapies ont de choses à vous apporter.

Imaginez des paliers ou des étages, arrivé à un certain étage, les thérapies en tous genres ne sont plus nécessaires. Le travail n'est plus le même car votre corps énergétique n'est plus le même.

Plus votre passé est réglé, plus vous avez pardonné, plus vous avez avancé sur votre chemin d'éveil, plus votre vibration évolue. Votre façon d'agir évolue et les façons de guérir les souffrances évoluent.

Comme ici, un mal de dos qui disparaît au travers de l'écriture d'un livre. Voilà la forme que cela doit prendre arrivé à un certain étage.

Plus vous vous laissez être, plus vous laissez la vie faire, plus vous êtes dans la confiance et ceci va pouvoir œuvrer à travers vous, même si vous ne comprenez pas les choses.

Encore une fois vous n'êtes plus au stade de la compréhension intellectuelle. Vous êtes au stade de la vibration, de la lumière, de l'amour car vous êtes en train de redevenir énergie pure. Une énergie pure n'a pas besoin de « comprendre », elle « sait ». Elle « sait » car elle est connectée à elle-même et elle ressent.

Plus vous vous connectez à vous-même, à vos ressentis en les laissant être et vivre, plus cela devient une habitude et s'ancre en vous.

Vous allez devenir sensation, énergie, perception et vous « saurez ».
Sans même avoir à argumenter, vous saurez.
Quand vous êtes dans l'énergie de la Source, les mots ne sont plus nécessaires. L'énergie comprend l'intention de chaque chose, sa vibration. Vous allez développer cela dans la matière. Vous saurez.
Vous rencontrez une personne et rien qu'en la regardant vous savez. Vous savez ce qu'elle vit, ressent et ce qu'elle est car vous sentez ce qu'elle vibre et son intention.

C'est de cette vibration-là dont vous avez besoin pour avancer. Cette vibration instaure la paix.

Vous serez en paix avec vous-même,
avec votre être profond et véritable.

Dernier chapitre

CETTE TRANSMUTATION DE L'ANCIENNE TERRE VERS LA NOUVELLE TERRE EST UN VOYAGE EXTRAORDINAIRE QUE VOUS AVEZ DÉCIDÉ DE VIVRE EN CONSCIENCE, DANS CETTE VIE-CI.

Ceci est déjà en train d'apparaitre. Vous allez pouvoir construire un nouveau monde. Ce nouveau monde sera constitué de toutes vos prières. Nous avons entendu toutes vos prières. Nous avons entendu

Dernier chapitre

Nous avons entendu tous vos désirs de vie et d'être. Tout ce que vous aimeriez voir apparaître dans ce monde et comment vous aimeriez servir ce monde est entendu. Tout ceci va pouvoir avoir lieu et prendre forme sur cette nouvelle Terre.

Elle sera magique, divine, voluptueuse, lumineuse, abondante, magique, pleine d'amour et de lumière.

Sachez que ce nouveau monde, c'est vous qui le créez. A chaque instant, de par vos vibrations, de par vos désirs, de par vos souhaits.

C'est vous qui êtes en train de rendre possible la mise en place de cette nouvelle Terre.

Par chacune de vos vibrations, de vos pensées, de votre énergie, cette nouvelle Terre se nourrit de cela et elle se constitue déjà, dans cet univers parallèle duquel vous allez faire partie.

Cette nouvelle Terre est totalement reliée à vous et vous êtes totalement relié à elle en cet instant.

Plus vous serez conscient de vos pensées et de votre vibration, plus vous cheminerez en conscience vers cette nouvelle Terre, plus celle-ci sera belle et majestueuse.

Quel que soit votre niveau, sachez cela, vous êtes en train actuellement de construire cette nouvelle Terre qui sera une Terre sur laquelle vous allez pouvoir vivre éternellement.

Certains d'entre vous pourront se réincarner sur cette Terre et certains d'entre vous pourront réellement vivre éternellement sans avoir besoin de se réincarner. Ceci est extraordinaire.

Vous allez avoir un libre-arbitre qui sera décuplé.

Vous allez avoir des choix qui seront totalement nouveaux. Vous pourrez accéder à ces nouveaux choix, car vous aurez un niveau de responsabilité tel, que vous serez en mesure de maîtriser et contrôler ces choix.

Votre libre-arbitre va prendre un nouvel essor et une nouvelle ampleur. Vous serez aptes et prêts à le vivre. C'est pourquoi plus vous allez cheminer en conscience dans cette vie-ci, plus vous allez

pouvoir œuvrer en conscience sur cette nouvelle Terre.
Avancez pas à pas. Avec joie, amour et volupté.

Soyez fiers et heureux de ce nouveau monde qui est en train d'apparaitre. Soyez fiers de cette nouvelle Terre que vous êtes en train de construire. Soyez fiers de la nouvelle personne que vous êtes en train de devenir.

Tout ceci a lieu grâce à nous et aussi grâce à vous. Nous ne sommes qu'Un. Nous sommes très heureux et fiers de le vivre avec vous et que vous puissiez en avoir de plus en plus conscience.
Continuez à être dans l'amour et dans la foi.
Ce qui arrive est vraiment magnifique et extraordinaire.

**Vous êtes des êtres de lumière.
Ne l'oubliez jamais.**

*Nous sommes fiers de vous.
Nous vous aimons.
Aimez-vous tout autant.*